天下文化
BELIEVE IN READING

教育教養｜ BEP036A

孩子不是壞只是壓力大

5 個步驟，教出孩子迎戰未來的調整力

沈克爾博士（Stuart Shanker）
泰瑞莎・巴克（Teresa Barker）——著
郭貞伶——譯

Self-Reg

How to Help Your Child (and You)
Break the Stress Cycle
and Successfully Engage with Life

獻給我的妻子與孩子

Self-Reg

孩子不是壞，只是壓力大

目錄

第二部　5大領域，培養孩子的調整力

第三部　青少年飽受誘惑，家長倍感壓力

推薦序1

幫助孩子真正的無壓力成長

親子部落客作家「Antonia Wang超級富有的幸福幸運女」
《孩子只是卡住了》作者　王麗芳

拿到這一本書的翻譯稿時，我用了快一個月慢慢細讀，愈讀我就愈慶幸這一本書可以在台灣發行，真心的希望這一本書可以改變很多父母的觀念。從我開始寫親子文章記錄孩子的成長開始，就一直苦口婆心想讓很多大人知道，這世界上沒有所謂的壞孩子，只有用錯方式表達困難的孩子，去看孩子本身的行為不重要，重要的是行為背後的原因，因為只有解決源頭，才能真正給予孩子幫助。

我遇過一個男孩，是學校家中的頭痛人物，母親形容他過動，甚至有些暴力傾向，我看過小男孩東西被搶走的時候，狠狠將對方咬到手臂血流不止。這位媽媽非常努力安排很多很多活動，一直相信這樣的孩子只要耗完電，就會好了。於是這個男孩每天就是一堆的體育活動，直到整個人累到睡著，這是很多台灣的父母堅信的，以為讓孩子把電耗盡，就是幫助孩子情緒控制的最好方式。

運動的確是一種很好的舒壓方式，但不是所有問題的解方。只因為孩子的壓力還是在，他不知道如何不傷人的表達自己的想法，他不知道怎麼跟人相處，他的暴力是一種展示自己挫敗的方式，就如同本書作者一直強調的概念，大人一直試圖的讓孩子「安靜」，卻不知道這個孩子從來沒有體驗過「平靜」的感覺。

男孩在人際關係的挫敗與壓力沒有被看到，卻又被加入太多的運動訓練，心情與壓力長期處於高度警戒的狀況，肌肉永遠沒有放鬆。孩子一直在高壓的環境下長大，困難沒有被發現與協助，父母卻一廂情願認為，已為孩子安排了這麼多活動，孩子應該就會開心了，怎麼可能有壓力？

這樣的孩子在台灣還有很多。我曾遇過一個孩子，是音樂的天才，只要聽過一次的鋼琴曲，就可以自己彈奏出來。只是這樣的孩子，卻讓父母老師很痛苦，他會在捷運上尖叫哭泣、上課容易暴怒；大人一邊幫孩子培養音樂天賦，一邊要孩子學會情緒控制。只是當孩子愈來愈大，連學音樂也開始遇上瓶頸後，情緒的問題就愈來愈難收拾。

後來我們才懂，這個孩子的耳朵比別人敏感，可以聽到捷運車廂磨軌的刺耳聲、聽到別人在背後怎麼小聲談論他；老師高頻的聲調，讓他耳朵無法承受，他可以聽懂音樂裡每個音的不同，孩子長期依賴耳朵彈琴，其實完全沒有識譜能力，當遇到太多組合的音符，就愈來愈難辨識，令他愈來愈無法只依賴聽覺彈琴，曲目愈複雜，壓力也愈來愈大，大人沒有看到他的壓力，卻一直被大人要求要「控制情緒」與「不放棄」，困難沒被發現，又給了新的壓力與要求，孩子苦不堪言。

可惜的是很多大人不但無法去想孩子行為背後的原因，看懂孩子需要協助的地方，還會將孩子的行為解讀成「跟我作對」或者是「孩子的先天氣質」而錯失了協助孩子的時機，然而我最欣賞這一本書的最大一點在於作者用大腦科學、真實陪伴孩子的案例，反覆的在傳達一件很重要的訊息，孩子所謂失控的行為、退縮行為只是在反覆的告訴大人他有多痛苦，而不是在跟大人作對，也不是什麼個人特質。

書中一個女孩的案例也讓我印象深刻，女孩小的時候母親以為孩子喜歡獨處，沒有發現孩子其實不會跟人互動，一直到孩子青少年時期孤立自殘等狀況發生時，父母才驚覺孩子根本一個朋友都沒有，孩子不是喜歡獨處，而是不會跟人相處，唯有獨處比較自在。

我身邊有許多的母親堅持孩子的害羞是一種先天的氣質，但是在我的眼中，孩子不太可能跟每週都會見面的朋友害羞，就如同我們不可能跟見面超過三次的客戶害羞一樣，孩子所謂的害羞與喜歡獨處，其實只是不懂得與人破題與攀談，父母愈以為小孩愛獨處是先天氣質，而沒有協助孩子建立人際關係的時候，孩子愈無法在與人的互動經驗中，去理解非語言訊息。當孩子愈來愈大進入青春期還是沒有朋友，人際互動還是一種壓力與障礙時，那時候孩子對世界的厭惡與自己的存在就是一種質疑與否定。

在我陪伴孩子的過程中，我才了解孩子長大的過程有多麼不簡單，當孩子不懂怎麼破題跟別人互動時，孩子是有壓力的站在一旁看著別的孩子玩，不會分辨別人無形的意涵時，是多麼容易誤解別人的好意；聽不懂別人話語後面的意思時，是多麼容易被罵白目；不懂拿捏力道，是多麼容易被誤解是暴力孩子。在學習的過程中需要的能力又更複雜，學習的障礙沒被發現，只是一直被戴上「不用功」的帽子，其實更讓孩子挫折。

這一本書讓父母可以引導父母去看孩子行為背後的原因，可以提供父母更好的方式協助孩子，真心的希望這一本書，可以讓台灣的父母看到孩子行為背後想要吶喊的痛苦，進而幫助孩子真正的無壓力成長。

推薦序2

孩子們最需要的愛，是能被父母所理解

諮商心理師　許皓宜

我相當喜歡這本書的書名：「孩子不是壞，只是壓力大。」

確實，這也是我從諮商工作中獲得的經驗：即便是看似偏差的問題行為，也只是孩子的表達方式而已。許多大人總以為，孩子內在有什麼心情，自己會說出來，殊不知他們可能更善於用「行為」來表達自己。

然而作者提出了許多相當不錯的觀點，告訴我們，面對孩子的問題時，首先我們要理解孩子所面臨的壓力。沈克爾博士透過他在心理學領域的專業，從五個面向引導我們去思考孩子的壓力，並且透過一些可依循的流程，協助孩子在某些看似危機的狀況下，將挫折時刻轉成培養自我調整能力的時機。

閱讀完本書，我回到自己身為母親的角色，很多問題彷彿又獲得解答，很多困境似乎又看見希望。

是的，我們對孩子的愛是不停歇的；而孩子們最需要的愛，則是能被父母所理解。

推薦序3

陪伴孩子學習自我調整，而非自我控制

哈佛醫師心能量系列作者、
花蓮慈濟醫院社區醫學部副主任
許瑞云醫師

市面上有不少教養孩子的書，大多把重點放在如何幫助孩子控制自己的行為。本書作者沈克爾博士，則提出一個更有效的方式——讓孩子學習自我調整。

作者常受邀到世界各地去協助各式各樣的「問題」孩子，他發現其實沒有難以管教的孩子，更沒有所謂「沒救的壞孩子」，那些被視為「有問題」的孩子或大人，其實只是壓力過大，卻不知如何自我調整。

壓力過大或身體能量過低時，孩子會有封閉自己（自閉）、行為衝動（過動）、產生暴力傾向或沉迷於網路遊戲、拒絕上學等行為。書上分享的真實案例，很多都是讓父母師長感到萬分頭痛的孩子教養問題，這些孩子如果沒有用對的方法去引導，往往會使狀況持續惡化。

作者除了案例分享，也教導讀者詳細的自我調整步驟，包括如何辨識和處理孩子的壓力源，例如：父母之間的關係、聲音、光亮度、氣味、觸覺、溫度、姿勢、睡眠、運動量不足和營養不均衡等因素，都可能使孩子感到壓力。每個孩子對壓力源的敏感度不同，某個孩子覺得很舒服的光亮度，可能會讓另一個孩子備感壓力和痛苦。

作者不只在書中提供了案例和實際的操作方式，也提供了神經醫學上相關的研究及佐證，書中有不少醫學名詞和研究結果，如果對這方面不了解或沒有興趣的讀者，可以跳過這些理論和研究，直接看結論和方法就好。

自我調整並不是幫助孩子轉移注意力，而是要讓孩子覺察自己的能量狀況，在能量低落時，可以做出適當的調適，而不至於陷入混亂的交戰、一心逃避，或是在僵在當下不知所措。我在診間也常運用不同的能量運動，來協助孩子和大人處理自己的能量狀況，效果往往比打罵、威脅、說理、鼓勵等方式來得更好。

當我們能量飽滿，精神狀況好的時候，對事情的耐受度會高出很多，也不會亂發脾氣或情緒暴躁，但是當我們疲累不堪時，一些原本可以承受的事情，卻可能讓我們突然抓狂。

孩子也是如此，只是因為孩子不清楚自己的內在狀況，所以往往使用激烈的言語或行為來表達身體的不適感，因此協助孩子察覺自己的能量和身體狀況，進而學習如何調整，有助於讓孩子的不當行為自然消失或得以改變。

這是一本值得大力推薦的好書，我很希望在不久的將來，台灣的家長和老師也會開始陪伴孩子學習自我調整，而非一味要求孩子自我控制，更不是給孩子貼上各種標籤。

懂得自我調整的孩子自然會充滿能量，感到快樂、平衡、人際關係良好，也能有好的動機和意願學習，遠離種種上癮或拒絕上學的問題。

推薦序4

調整力，讓孩子終身受用的大能力

親職教育專家、兒童青少年心理專家、
台灣芯福里情緒教育推廣協會理事長
楊俐容

我家地處臺北邊陲地帶，大女兒就讀位於市中心的高中時，偶爾需要晚歸，如果又碰到爸爸不在，我就會帶著還在讀小學低年級的二女兒去接她。有一天正準備出門，二女兒突然跟我說：「我還是不要跟你去接姊姊比較好。」我正納悶著，她又接著說：「因為開車開很久，如果到了學校，還要在車裡頭等很久，我會覺得身體裡面好像有一把火要跑出來，姊姊一上車，我就很想和她吵架。」

「這小女生還真有自覺，」我邊想邊回應她：「哇！是很像噴火龍那樣嗎？」接著母女倆就「噴火龍什麼時候會發火、身體有什麼樣的感受」，進行了一番討論之後，我又問：「嗯，媽咪也不想讓噴火龍坐太久的車子，可是沒有大人在家，又不能把你單獨留在家裡，怎麼辦才好呢？」

只見女兒蹙眉想了一會兒，認真說：「要不，你找個地方停車，陪我在人行道上散步、跑一跑，我的火就會變得小一點。」

於是我們提早出門，在學校附近走動了好一會兒，等姊姊上車，一向情感深厚的姊妹倆嘰嘰喳喳聊起天來，事情也就圓滿落幕了。

對於如我家二女兒這般活動量偏高、衝動性較強的孩子來說，能夠辨識來自內在的衝動、從外在線索研判哪些因素會導致這樣的結果，並進一步找出自我調整策略，以打破情緒和壓力帶來的惡性循環，是幫助他們保持自我、卻又能日漸成熟不可或缺的經驗。然而，如果沒有大人的協助和引導，孩子很難自行發展出這種自覺與調整的能力。

透過辨識出孩子何時壓力過大（無論來自生理、情緒、認知或社交），找出並調降孩子的壓力源，可以降低孩子失調的機率；接著再善用這些成功經驗，引導孩子自我覺察，並協助他們發展自我調整的策略，將這項終生受用的機制，逐漸移轉為孩子自覺且內化的大能力。這個歷程，是我陪伴孩子成長、投入情緒與親職教育一直以來所堅信的，也是本書所闡述的要義，更是我之所以推薦本書的主要原因。

特別是身處數位時代的孩子，從小成長在刺激過度、壓力超載的環境，很容易陷入情緒失調的狀態。因為無法覺察並妥善處理情緒，導致身心健康不佳、學習效能低落、人際社交受挫、行為舉止不當等困擾，已成為家庭與學校現場常見的棘手課題。因此，本書的觀點格外令人深有同感。

作者以大腦科學的研究結果為依據，明白指出，過去培養理性、自制的種種方法，已不足以應付現代孩子因「情緒腦」持續被激發而導致的失序行為。全書強調，唯有重視「自我調整力」，幫助孩子對充斥在其成長環境中各式各樣的壓力源有所覺察、能夠辨識，並選擇減少壓力、回歸平靜的調控策略，才能在從根本處解決躁動不安的問題，讓孩子在生活中的各個領域，都能日漸成熟、遊刃有餘。

「人性最可貴的地方，就在於我們擁有能力超越人性」，是我非常鍾愛的一句話。從近代大腦科學對於情緒管理的研究結果來闡述，後面的「人性」，指的是情緒衝動，主要受到俗稱「情緒腦」的邊緣系統所主宰；至於前一個「人性」，則是指由「理性腦」的前額葉皮質所掌管的調控策略。也就是說，情緒衝動是人的本性，但透過後天教育，就能培養出情緒管理的能力。

教育的目的在於，幫助孩子發展為成熟的個體。細細品味本書所要傳遞的觀念和方法，我們將能幫助孩子提升自我覺察、發展調整策略，在穩固的情緒基礎上，發揮學習動力、快樂結交朋友，減少傷人傷己的不當行為，增加同理心與利社會行為。

前言

世上沒有壞孩子

我因為工作關係，常往返加拿大、美國及世界各地，我已數不清見過多少孩子了。孩子各式各樣，但壞孩子，我從未見過。

孩子可能表現自私、不敏感，甚至讓人感覺似乎不懷好意；拒絕專心；動不動就大叫或動手推人；或者講不聽，甚至對人充滿敵意……。我很清楚這些例子不勝枚舉，因為我也是個父親。

我們都曾不假思索，就給孩子貼上「壞孩子」標籤，說他們「無法管教」、「沒救了」、「問題兒童」，或者使用臨床上的標籤，像是過動症或是對立性反抗症，無論你怎麼形容，都太嚴厲苛刻了。

有一天，我在街上散步時，遇到鄰居正跟他四歲的兒子出來蹓狗。當我彎下身子拍拍狗時，冷不防被狗咬了一口，那位父親苦笑著向我道歉：「阿方斯只是條狗。」但是他的小孩卻立刻斥責那條狗，還摑了牠的鼻子。那位父親見狀，火大了。狗咬人可以，四歲小孩打狗就不行了。我們都有可能會像這位父親一樣，一時激動，頭腦未經冷靜思考，就對小孩做出同樣反應。

孩子的種種行為，是因他們對身邊正在發生的每一件事，像是聲音、噪音、注意力分散、不舒服及情緒等，無法在當下做出回應。但是我們卻把這些問題，視為孩子的性格或氣質。更糟的是，孩子自己也相信了。

若能以理解與耐心相待，我相信每一個孩子都能導向正軌，活出有意義的人生。但是孩子「難以管教」的刻板印象，卻會蒙蔽我們的觀點；為人父母的希望、夢想、挫折與恐懼，也會阻礙我們看清真相。別誤會我的意思：有些孩子確實比較具有挑戰性。但我們對一個孩子的負面評價，往往只是種防衛機制，也就是把我們碰上的麻煩，怪罪到孩子的「本質」上。這會讓孩子變得更加反抗、防衛、焦慮或者退縮。但是事情不必然如此發展，從來就不是非得如此。

我曾經在一場會議上，跟兩千名幼兒園教師分享以上想法。有個聲音從後排傳來：「嗯，我教到一個壞小孩。他的爸爸也是個壞痞子，他的祖父更是壞到骨子裡了。」每一個人都笑了，我卻深感興趣。我想，「好吧，任何規則總有例外。我真的很想見見這個孩子。」於是那位老師便安排我去學校，跟她口中的問題小孩碰面。

當那個男孩拖著腳步走進房間的那一刻，我清楚發現，在老師眼裡的「偏差行為」，其實是「壓力行為」。他對噪音很敏感，在他坐下之前，就被房間外走廊上傳來的聲響嚇到兩次。還有，他會瞇眼睛，這表示他對房裡的日光燈很敏感，或是有視覺處理上的問題。他在椅子上扭動身體的樣子，讓我不禁想，硬木椅子是否令他難以坐直，無法放鬆。我發現真正的問題與生理有關。大人若在此時提高聲音或板起臉來，只會讓孩子更加痛苦。長此以往，這種互動成為習慣之後，孩子就會變得不乖或挑釁。

孩子的狀況跟家族成員有關時，更會如此發展。他爸爸跟他爺爺，在生理上也同樣這麼敏感嗎？他們在生活裡，也遇過成人對他們有類似的懲罰性反應嗎？這種反應很容易令孩子陷入麻煩，最後就印證了人們的想法：「你看，我就說吧，他是個壞孩子。」

放下自我，真正的看到孩子

此時此刻，我的心都在眼前的孩子身上，我幫助疲憊的老師，看懂並了解孩子行為線索的重要。

我輕輕關上教室的門，關掉頭上的燈光，那根燈管不僅發出刺眼強光，還持續發出嗡嗡噪音，並降低說話音量。老師一看到孩子突然放鬆下來，表情頓時變得和緩，接著喃喃自語：「喔，我的天啊。」

每當有成人發現孩子的問題並非無可救藥時，我都會在他們臉上看到這種表情、聽到同樣感嘆。要將這孩子視為天生的壞胚子很容易，但是，當老師看到孩子其實是對聲音與燈光敏感時，她立刻改變先前想法，知道孩子並不是故意的。

在那一瞬間，老師對他的態度全然改觀。之前，老師態度嚴厲，現在，她笑到嘴角上揚。她的語調從短促變得悠揚，她的眼睛不再看著我，而是注視著他。這兩人終於有了連結，孩子的身體姿勢、臉部表情與聲音語調，每一個小細節，都反映出老師自己的轉變。

這樣的轉變，不只是看待孩子的方式不一樣，或是看到一個完全不同的孩子，也改變了老師與孩子整體的互動關係。老師把要孩子乖乖聽話的需求擺到一旁，甚至放下自我，這是她頭一回真正的看到那孩子。現在，她可以開始教導他了。而孩子一點也不曉得自己對噪音與光線這麼敏感，更別提這會讓他難以面對他人的反應。這就是他的現實人生，對他來說是「正常的」。

現在，她可以幫助他學習辨識，他在何時會變得亢奮及分心，並明白原因，又可以做些什麼以保持冷靜、專注、警覺，然後順利投入學習。

從正確的角度看孩子

正在閱讀這本書的家長，或多或少都曾碰到下列狀況：我們全力支持孩子，不只提供舒適的物質環境，還提供他們獲得成功所需的生活技巧；可是，我們經常發現自己與孩子失去連結，因此感到挫折或生氣。我們知道孩子的行為毫無幫助、甚至有害，心想，他們為什麼就是不明白父母的苦口婆心。就像這位老師，我們有充分的善意，但這遠遠不夠。

自我調整的起點正是，對孩子的行為「重塑觀點」（reframing），也就是說，重塑我們對他們的觀點。這意味著**從孩子行為中看見背後的意義**，也許這是我們第一次看見。

當我在念研究所時，我的指導老師彼得．黑克（Peter Hacker）是名業餘的林布蘭特專家，有一回他約我去看林布蘭特的畫展。我提早到了畫廊，光是研究一幅自畫像就花了二十分鐘，我這輩子看他的畫，始終看不出什麼名堂。

彼得到了之後，問我有何感想，我說，就是看起來很模糊。彼得笑了笑，走了開來，低著頭看地板。他指向地板上一個小點，然後要我站到那個點上，再看一次那幅畫。當我照做之後，我眼前所見，真是驚為天人。那幅畫突然整個清晰起來。我立刻看到也感受到林布蘭特的天分所湧生的力量。

我一直很渴望能夠了解，為什麼這幅畫擁有驚人的藝術成就。我讀過這幅畫的歷史，知道林布蘭特在何時、何地創作這幅作品。我原本可能花上好幾年的時間，每天都到博物館來研究，卻從未發現它的祕密，如果我一直站錯位置的話。

自我調整力會讓你明白自己該站的位置，像是如何看清楚孩子的行為，回應孩子的需要，並協助孩子幫助自己。這可以加強你們彼此的關係，但這並不是要你的孩子乖乖聽話，別再做討人厭的事、說讓人反感的話，或者別再製造問題了，而是會讓孩子的心情、專注力、交友能力有截然不同的改變，對人產生同理心，並發展出對孩子長期福祉有益的高層價值與美德。

這項技巧，是我們在深入了解「自我調整」（self-regulation）後，所帶來的科學革命結果。「自我調整」這個名詞早已運用在千百種地方，但是，它在心理生理學上的原始意義，是指人們如何管理所承受的壓力。而「壓力」的原始意義指的是，所有需要我們花費能量去維持平衡的刺激。不只是我們熟知的社會心理上的壓力，譬如工作要求，或是他人對我們的看法；也有像先前提到，那個男孩從環境中接收到的壓力，譬如聽覺或視覺上的刺激；還有我們的情緒，正面或負面情緒都會造成壓力；我們覺得難以辨識的模式；妥善處理他人壓力的要求；對當代的許多孩子來說，他們在空閒時間所做或不做的事，也會造成壓力。如果孩子的壓力承載持續過高，他的復原能力便會受損，對於壓力源，即使是很小的壓力反應，也會加劇。

自我調整是一套有五個步驟的方法：（一）辨識出孩子何時壓力過大；（二）找出孩子的壓力源；（三）降低孩子的壓力源；（四）協助孩子意識到他在何時需要幫助自己，以及（五）協助孩子發展出自我調整的策略。

要清楚孩子何時壓力過大，或者什麼對孩子來說算是壓力源，並不容易，尤其是，當今的孩子必須處理許多隱藏的壓力源。通常，我們以為只要告訴孩子冷靜下來就夠了，但這做法從未奏效。

要幫助孩子自我調整，沒有簡易之道，每一個孩子都不一樣，需求也一直在改變，上個禮拜行得通的做法，今天不見得管用。但是，一旦熟悉前四個步驟，你將能在孩子身上實驗，並找出哪種做法對孩子有效、哪種沒效。最重要的是，孩子有一天也能自己辦到。

自我調整並非自我控制

從柏拉圖的時代開始，自我控制一直被視為性格的衡量標準。這種假設深深影響我們對孩子的看法，也影響孩子如何長成有穩健心靈、身體與性格的成人。對成人來說也是一樣，在抗拒誘惑、面對挑戰與逆境時，人們一直假設意志力至關重要。然而，古典時期哲學家及其後的人們有所不知，人體之內還有更根本的力量在運作著。

自我控制與壓抑衝動有關；自我調整則是找出原因、降低衝動的強度，並在必要時，有能量抗拒衝動。人們並沒有清楚理解到這兩者的差別，還經常混為一談。自我調整不只是與自我控制截然不同，是自我調整讓自我控制成為可能，或者，自我調整會讓自我控制變得沒有必要。除非了解兩者的根本差異，否則我們便是冒著風險，將事情歸因於孩子自制力很差，而沒有幫助孩子發展出自我調整力的基礎，讓他們能在學校及生活中獲得成功。

「有問題」的行為，對自我調整來說是寶貴徵兆，顯示出孩子已壓力過大。想像有個孩子很容易言行衝動，無法管控情緒，經常崩潰；或者很容易一觸即發，忍受不了挫折，遇到些微阻礙就放棄，很難專心；或是很難忽視會令他分心的事物，不懂得維持關係或者體驗不到同理心。當我們看到這些行為，很自然而然就會推論這孩子「很壞」、「很懶」，或者「遲緩」，但這種種行為經常是個徵兆，透露出孩子承受的壓力太高，內在能量已所剩無幾。所以，自我調整教我們找出孩子的壓力源有哪些，又如何降低這些壓力。然後，我們需要幫助孩子學習如何自我管理。

自我調整就從我們做起，如何找出並減少自己的壓力源，以及當我們與孩子互動時，如何保持冷靜專注。正如那位在我演講時提出問題的老師，當我們憤怒、擔憂，或者束手無策時，我們需要能說：「這到底是怎麼一回事？」「我遺漏了什麼？」有時候，我們還要能說：「我錯了。」這很重要，儘管沒有人喜歡這麼做。

找出孩子「不對勁」的真正原因

我跟那名幼兒園老師一直保持聯絡。她曾告訴我，那天改變了很多事，不只是改變了她與那個小男孩，以及班上其他孩子的互動，她的人生也從此煥然一新。她對待家人、朋友的方式也改變了，還有最重要的，她也改變了對待自己的方式。她堅稱所有這些改變，都發生在那一瞬間。

為什麼會這樣？難道她之前已麻木不仁，被教學磨到筋疲力竭，或者厭倦了跟這男孩一起工作，準備放棄他了？這都不是事實。事實上，她是個很體恤學生、為教學奉獻的老師。儘管如此，她已做出決定，認為這孩子「不對勁」。這種決定永遠不會是正確的。當然，的確有事情發生，但不是什麼「不對勁」的事，而是其他事情。這本書就是要找出對你的孩子來說，那是什麼事。

要做到這一點，追本溯源處理問題，是有方法的。那就是「自我調整力」。我們創立美利德中心，為的就是要教家長及老師自我調整，結果也好得出奇。

本書會告訴你如何運用這套方法，並教你的孩子也能做到。這個方法，不只是能幫助出現問題的孩子，還能幫助所有孩子。這是每一個人都需要做到的事，而且現今的時代比以往更加需要。

第一部

調整力，生活與學習的原動力

01

自我調整的強大力量

你是否發現，當你愈想改變孩子，就愈難做到？焦點應該放在孩子所承受的壓力負荷，以及如何面對壓力，亦即孩子如何自我調整，並管理生活中無處不在的壓力源。

「再努力一點！」你經常聽到人們說這句話。你也會對自己說，要更意志堅強，要再節制飲食，對老闆說話及空閒時間的運用，都要更懂得自我控制。你需要運動，控制支出，抗拒外界無止境的誘惑。如果你失敗了，就要更努力一點。

許多時候，人們聊到如何幫助孩子成功時，也多半在講同一件事。但是對孩子以及許多大人來說，似乎愈努力，就愈難做到自我控制，距離想達到的目標也愈遠。我們會斥責自己軟弱，孩子們也一樣。我們希望他們在學校及生活裡做好每一件事，他們則會因為感覺自己做得不夠好，而羞愧自責。

最新的神經科學，正在解開為何我們會如此的祕密，甚至有助於我們了解，為何明明想做卻做不到。這些新發現也告訴我們，如何改變我們的行為，以及自我控制對於行為的改變，幫助並不大。研究在在顯示，我們愈強調自我控制，就愈難做到，正向的行為改變也愈加困難。

我並不是說自我控制就不重要了。我們都知道，在各個領域達到頂尖成就的人，都是自制力的典範。不過比起自我控制，更根本的關鍵在於，我們所承受的壓力負荷，以及如何面對壓力，亦即我們如何自我調整。你愈仔細研究典型的成功故事，就愈看得出這些人之所以成就非凡，是因為他們擁有非比尋常的自我調整力。

我們愈意識到自己的壓力超載，並知道如何打破循環，自我調整力就愈好；換句話說，你愈能管理生活中無處不在的壓力。

自律神經系統透過消耗能量的代謝過程，來回應壓力，接著會啟動代償過程，以促進復原與生長。我們的壓力負荷愈大，復原過程就愈受限，因此，能用於執行自我控制的資源就愈少，我們的衝動就變得愈加強烈。一旦你了解大腦對壓力的自然反應，並執行自我調整，對於強加自我控制的需求自然會慢慢消失。

控制不了自己，就是軟弱無能？

有個看法，老到不行，認為自制力代表力量與品格。這種想法幾千年來屹立不搖，

邊緣系統

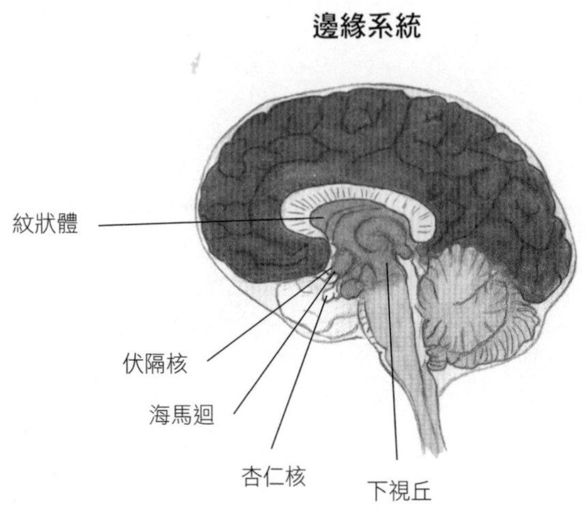

而最打擊人心之處在於，難以控制自己的人，往往被視為軟弱無能。因此，被認定自制力很差的人，總暗自感到內疚自責。現代科學則告訴我們，這種想法不僅過時，而且根本有問題。

當代在自我調整的科學領域裡，有項重大突破，那便是發現了邊緣系統的運作模式，美國神經科學家李竇（Joseph LeDoux）稱之為「情緒腦」。這個皮質下複合體，就位於前額葉皮質下方，主要構造為杏仁核、海馬迴、下視丘及紋狀體。邊緣系統，尤其是杏仁核及伏隔核（位於腹側紋狀體），是強烈情緒與衝動的源頭，在記憶的形成與相關的情緒連結上，扮演關鍵角色，不論正面或負面，皆由此而生。愛、慾望、恐懼、羞恥、憤怒及創傷，都跟這塊神經區域大有關係。

過去人們認為，大腦的運作是有階層之分的，位於前額葉皮質的「高層」執行系統負責掌管一切，並控制「低層」邊緣系統發出的衝動。這種想法認定我們控制不了慾望，是因為前額葉皮質太弱，無法抑制來自邊緣系統的強烈衝動。

以往人們毫不懷疑以上觀點，將意志力與自制力視為可經鍛鍊的心智肌肉。正如在蘇格拉底時代的人們認為，想成功擁有自制力，只要透過嚴格鍛鍊與規範，就可以像強化肌力那般，來強化執行系統的心智肌肉。如此一來，各種自我否定的鍛鍊方法，如抗拒誘惑與原始衝動等，就成了培養自制力必需的「仰臥推舉」心智重訓項目。

不論人們過去是怎麼想的，近二十年來大腦科學的進展，在在顛覆以往觀點。

當一個人壓力負荷過重時，前額葉皮質本該維持理性、抑制衝動的能力，便會大幅降低，像是比較沒有能力衡量「立即獎賞」與「長期獲益或成本」，兩者孰輕孰重。在此同時，尤其重要的是下視丘。下視丘是大腦主要的控制系統，調控的系統數量非同小可，像是免疫系統、體溫、飢餓、乾渴、疲勞、生理節奏、心跳速度與呼吸、消化、代謝、細胞修復；甚至聽覺、說話、解讀他人心思、教養及依附行為。以上種種不同的功能，都與大腦最原始的反應緊密牽動著。

不論你遇上的是微小的壓力源，或是明顯的威脅，或至少是被邊緣系統「斷定」的

三位一體的大腦

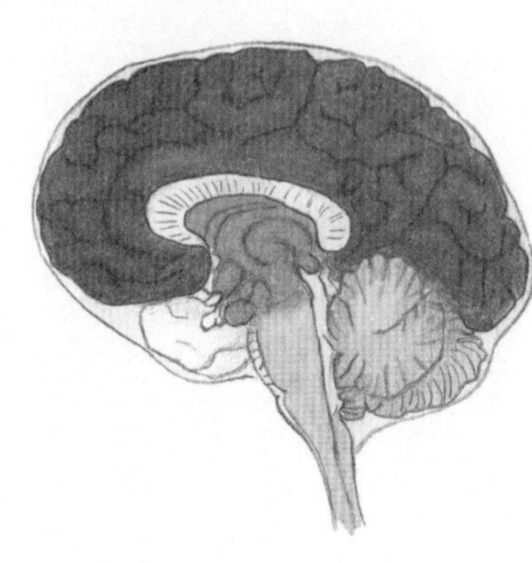

威脅，都必須等大腦的原始反應平息之後，才能將自我調整的過程，納入同步運作中。

自我控制很重要，卻不是強健心智與獲致成就的核心關鍵。自我調整才是。

三位一體、平衡運作的大腦

一九六〇年代，耶魯大學神經科學家麥克蘭（Paul MacLean）發展出一套大腦的理論模型，至今仍深具啟發性。根據他的「三位一體」模式，我們事實上有三個不同的腦，分別在演化史上不同的時間點形成，並且層層相疊。

在最上方、也在最前面的腦如其名，是「最新」的腦，稱為「新皮質」，負責支持較高階的功能，譬如語言、思考、心智解讀與自我控制。在它之下，是比較老一點的「原始哺乳動物腦」，其中有邊緣系統、強烈的情緒連結與衝動。在最下方的則是最古老、最原始的腦，是所謂的「爬蟲類腦」，與邊緣系統緊密合作，調控興奮度與警覺度。

現在人們普遍認為麥克蘭的模型過度簡化，然而，此模型仍有助於理解自我控制與自我調整在神經生理上的差異。因為自我控制屬於新皮質的現象，由前額葉皮質的一小撮系統支持著。而自我調整則深受原始哺乳動物腦及爬蟲類腦深處的系統影響：這些系統的啟動，不只獨立於前額葉的運作，甚至比它更早作用，或多或少能壓制前額葉的反應。

大腦為什麼失衡

下視丘負責監督內在環境，以確保身體正常運作，像是監控體溫，保持在攝氏三七度上下，以及血液中鈉與葡萄糖含量是否正確。在我們睡覺時，有些系統會休養生息，有些則負責修復，協助療癒身體。如果外界溫度突然下降，下視丘會引發代謝反應，產生體熱。這時呼吸與心跳速度會加快，讓身體發抖、牙齒打顫，過程中皆會消耗一定能量。

因應身體外部的寒冷，是大腦處理環境壓力源的典型例子，自律神經系統會監視並予以回應。如果有太多這類外在「成本」，大於平常的情緒、社交及認知壓力源，即使只有一丁點危險性，邊緣系統都會變得過分敏感。

在大腦前額葉皮質啟動判斷是否真有危險之前，邊緣系統便會先聲奪人，將之登錄為威脅，並啟動警報，就像車子被移動或受到震動時會發出警報聲。這麼一來，會導致神經化學分子釋放以面對危險，並進入戰或逃（fight-or-flight）模式。如果這麼做仍行不通，大腦就會採取凍結模式，有點像某些動物受到威脅時，做出的「假死」行為。三位一體大腦中最古老的部分，也就是爬蟲類腦，會釋放腎上腺素來因應危險，並啟動複雜的神經化學反應鏈，致使皮質醇釋放。

這些神經化學物質會提高心跳速率、血壓及呼吸速率，以將葡萄糖及氧氣帶到主要肌肉（肺、喉嚨及鼻子）。你會感到體內能量洶湧奔騰。脂肪從脂肪細胞代謝出來，肝臟將葡萄糖一一釋出。警覺性與反應能力增強，瞳孔開始放大，頭髮豎直，這可以讓我們的祖先顯得更高大威武；做為冷卻機制之一的汗腺打開，分泌腦內啡，以增加痛苦忍受度。

就現代生活的角度來看，這套警報系統非常原始。對此系統來說，真正的敵人與假想的敵人，如線上遊戲遇上的敵人，沒什麼分別，兩者同樣會觸發腎上腺素的釋放。然而，這套系統原是為了曠野裡的爬蟲類及哺乳動物設計，無法判斷威脅的真確性，也不知威脅會持續多久。警報於是一直持續，維持在戰或逃狀態，不斷釋放壓力荷爾蒙。一旦過量，便會擾亂器官與系統的正常運作，甚至造成發育中大腦某些部位的細胞損傷。

為了保有足夠能量，維持警戒狀態，下視丘會關閉任何消耗能量的系統，只留下在危急關頭維持生存必須的功能。大自然就是用這種方式，調控最多的能量，給需要面對眼前威脅的系統。這些被減緩或關閉的非必要功能清單，相當不尋常，也正是為何我們在最需要幫助時，卻很難執行自我控制的根本關鍵。

壓力太大，孩子大腦失衡了

在戰或逃反應發生時，身體會從在緊急狀況下被認為不重要的系統挪用能量，譬如消化系統。

在飽餐一頓後，你會全身發懶，這顯示出消化需要很多能量，大約占身體總能量的百分之十五到二十，與大腦每日維持正常運作所需能量相同。消化過程從四小時到兩、三天都有可能。

消化會如此耗費能量，是因為需要在胃裡產生正確的化學平衡，才能處理食物，並製造酶；酶能分解食物，並將養分送到身體各處。其他的代謝功能，有些在壓力下也會變得緩慢，或先被擱置一旁，包括免疫系統、細胞修復與成長、輸送到毛細血管的血流（這麼一來，一旦受傷了，你就比較不會流血至死）及生殖功能。

你或許會想，以上這些，跟你發脾氣，或多吃一片本想留在盤子裡的蛋糕，有何關係，又怎麼會扯到你家小孩大吵大鬧、崩潰，或有數學焦慮？答案在於戰或逃反應，對維持理性、抑制衝動的前額葉皮質產生的影響。

想像一下，當你家八歲小孩，做了某件你告誡過千百遍不准他做的事，你氣得七竅生煙時，你話說得清楚嗎？更別提要你保持思路清晰了。人在氣急敗壞時，往往會亂說話，因為這時候登場的是哺乳動物腦及爬蟲類腦，前額葉皮質已經靠邊站了。我們失去了前額葉皮質提供的美妙高等功能，諸如語言、反省思考、心智解讀、同理心，當然也失去了自制力。

關於戰或逃反應關閉了哪些功能，分子生物學家有些有趣的發現。舉例來說，驟然出現的壓力會影響中耳肌肉，使孩子聽不清楚人們講話的聲音，卻對低頻的聲音聽得更清楚。這對哺乳動物腦及爬蟲類腦來說，有顯著意義，因為低頻的聲音或許是侵略者潛伏在灌木叢的徵兆。這一點正能解釋，為何憂傷或苦惱的孩子未能注意到我們，除非我們就站在他前面。但是，若我們就站在孩子面前，我們的聲音跟肢體語言，很可能對孩子更具威脅性。

在戰或逃狀態下，我們在演化過程中努力建立的語言基礎、現代社交腦，都一一遭到擱置，退回古老、前語言的狀態，這是動物在做困獸之鬥時的原始生存機制。

自律神經系統會在「喚起」狀態（arousal）*的高低之間自我調整，譬如從沉睡時（最低的喚起狀態），到孩子暴怒時（最高的滿溢爆發狀態）。

「喚起調節」（Arousal regulation）其實是

自我調整喚起狀態

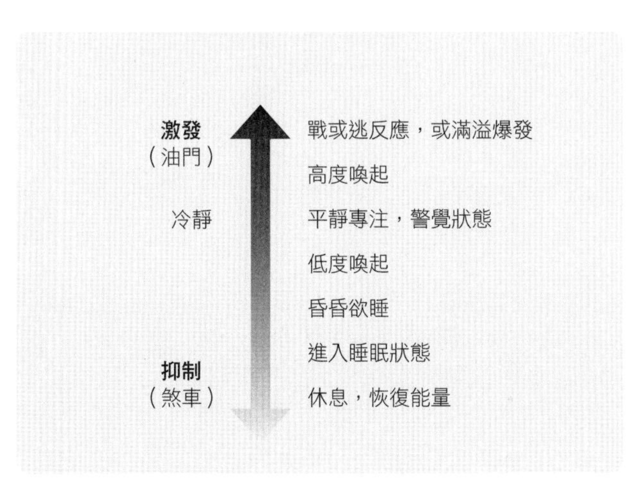

＊譯注：可指生理上準備好採取行動的警覺狀態，或指與強烈情緒有關的興奮狀態或能量消耗。

兩股互補力量的作用。交感神經系統負責激發，讓我們更加警醒；副交感神經系統負責抑制，使每項功能都慢下腳步。這正是大腦把腳踩在油門或煞車上的運作方式。

孩子壓力愈大，愈難自我調整

任何一項任務，需要多大程度的激發或是還原，要視情況而定，當然還要看我們體內的能量存量。每一天從早到晚，我們都在此一喚起刻度上上下下。當喚起程度上升，能量消耗自然增加；喚起程度下降，我們便蓄勢儲備能量。

孩子面臨的壓力愈大，腦內的調節器就愈難轉換自如。當復原功能開始失靈，孩子就會「卡在」低度或高度喚起狀態中。這麼一來，以孩子的思考為例，他會覺得很難繼續想下去，或者總是想個不停，很難讓腦子安靜下來。

最嚴重的情況，就是「點燃」了戰或逃反應，孩子因此更容易且反覆受驚嚇。在此情形之下，孩子會遠離我們，爸媽則通常會感覺像被孩子拒絕了。但事實上，這只是不同大腦層級的運作結果，也就是一連串對威脅產生的本能生理反應：

1. 社交參與。

2. 戰或逃反應（交感神經喚起）。
3. 凍結（副交感神經喚起）。
4. 解離（「離開身體」的狀態，當事人會說彷彿旁觀者般，看著事情發生在自己身上）。

這個壓力反應的層級，忠實反應出麥克蘭的大腦「三位一體」模型，從前額葉「最新」的大腦系統、社交參與，來到了回應威脅的古老機制。

當孩子無法進行社交參與，或參與不足時，大腦便會轉換到戰與逃反應。在這個狀態下，不只會避開社交參與，甚至社交參與會成為新的壓力源，也就是說，**孩子會逃離我們，或是與我們對抗，即使他最需要的資源就是我們。**

如果危險持續存在，大腦就會再轉換到「凍結」狀態，以將逐漸減少的能量，保留給生存的最後一戰。最後一個階段「解離」，與其說是生存機制，不如說是降低心理與生理痛苦的機制。

在慢性的低度或高度喚起狀態下，大腦會有個重大轉移，從「學習腦」轉換到「生存腦」。對於外在環境或內在的變化，孩子很難參與及處理。如今他更有可能「關閉」

自己、採取衝動行為，以及（或者）有暴力傾向（對自己及他人皆是）。**長期放空或過動的孩子，並非那麼「軟弱」，或者不夠認真努力；他們只是經驗到過多壓力。**

如果孩子的壓力負擔已經大到受不了，我們毫無辦法迫使孩子「冷靜下來」，用處罰來威脅他們也沒用。**不管孩子的喚起狀態過低或過高，那都不是他們自己的選擇，因為他們根本不曉得如何冷靜。**自我調整則可以給他們工具及技巧，讓他們冷靜下來。

孩子向自己開戰，代價高昂

長期處在高度喚起狀態，會使得邊緣系統對於壓力非常敏感，只要一丁點，就會觸發。系統變得會去找尋威脅何在，即使那裡並未有威脅，知覺因此起了變化。在實驗中可以明顯看到，當孩子長期處於高度或低度喚起狀態，便更加容易把演員臉部的中性表情，視為帶有敵意。

在危險環境中，這具有演化意義。問題是，警報愈常啟動，就愈容易再度啟動。不幸的是，太常、太容易啟動的警報，總有一天會像放羊的孩子說「狼來了」般，不再被我們注意到。

想像一個尋常的工作日：你的鬧鐘（alarm clock，直譯是警鐘，這個普遍的家庭產品會取這個名字，是有原因的）響起，將你突然推入高度喚起狀態，尤其當你還沒睡飽或是前一晚睡不好時。你必須催促孩子趕緊整裝完畢、開車送他們上學，再開車去上班，面對人潮、塞車、噪音與遲到。一天才剛開始，你承受的壓力便很高了。

或許早晨中段來杯咖啡、吃個甜甜圈，會讓你冷靜點。這樣款待自己，令你感覺受到撫慰，甚至有正向的情感連結，這是有原因的。但也可能使你對甜點及飲料的需求失控，你會對自己大吃大喝產生罪惡感，所以你開始抗拒。而抗拒這些衝動，又會讓你進入戰或逃狀態，並在事後對自己失去控制力感到憤怒。此時，正是你的前額葉皮質重新獲得掌控，但這會讓你更容易陷入你所知與害怕的戰或逃循環。

兩千五百年來一直有個論點，認為我們在執行功能（executive function）*與衝動之間，進行某種「戰爭」，結果，當我們斥責自己缺乏自制力時，這就成了完美的譬喻，也就是，如果你可以發展出贏得這場戰爭的心智「肌肉」（膽識、決心、自我紀律），當事情變得不好處理，像是面對自己的孩子、伴侶及工作問題時，你便能壓抑想放棄的衝動。雖然你學會了如何在不「讓步」的情形下，面對不舒服的感覺，但戰爭的代價總

---

* 譯注：執行功能是個人有效管理及引導自我行為的能力，包括意志力、計畫力、有目的的行為，以及有效的成果等功能。

是很高，在疲於爭戰的同時，我們也耗用了大量的儲備能量。

即使我們在當下沒感覺到能量的消耗，到後來也會體驗到。那是種更加難以控制的負面情緒或不滿足感，會在生理、心理或情感健康上，造成更嚴重的問題。

科學家已經證明，對受試者增加壓力，也會增加他們的衝動潛能，並降低他們的自制力。與其忽略這些感受，自我調整教我們如何辨識出各種前兆，意識到自己已受到過高的壓力，也就是大腦的警報系統卡在「打開」的模式上。而我們真正需要學習的，是如何把它關掉。

打破壓力的負面循環

自我調整的目的，不是要給某個反應或行為貼標籤，逼自己必須去抗拒或控制它。我們要問自己的問題，不是「為何我無法控制衝動」，而是「為何我會有這樣的衝動，又**為何是現在**」。正是這個問法，讓自我調整成為有力的工具，助我們得以進行長期的正向改變。

在此所談的，不只是渴望，而可能是長期的擔憂，或者是某種不確定的狀況，諸如普遍的恐懼、快憋不住的怒氣、反覆侵入的負面想法，或者一種黑暗的世界觀。這份

生理／情緒紐帶

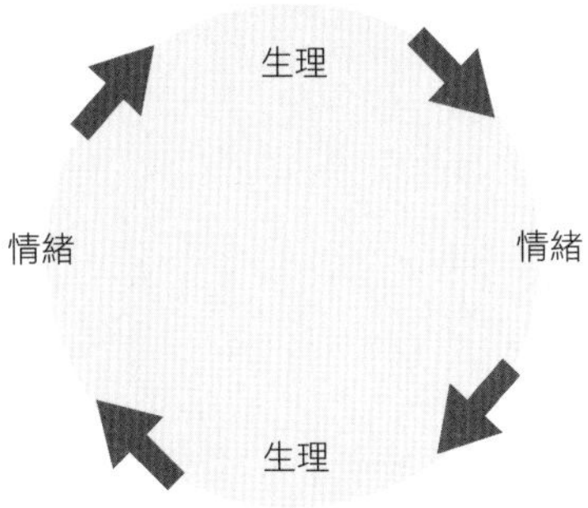

生理 → 情緒 → 生理 → 情緒

清單還可以繼續往下列，像是會突然引發戰或逃反應、凍結反應這類喚起狀態的強烈連結、突如其來的衝動、強大的情緒、強烈的需求。

但是，喚起狀態並非敵人。當我們需要從睡眠中清醒過來、從做白日夢轉而專注當下、從遊戲進入工作中，我們都得仰賴喚起狀態的調整。

往上調整（up-regulate）是正常且健康的，在這些轉換中來回循環，需要提升能量。在平常的日子裡，我們通常會經歷好幾次類似循環。向上調整及它的循環本質，純粹是指生理狀態，與行為的「壞」或「好」無關。

當喚起狀態的上下調整，因過度運轉而卡住，且無法切換成低速檔時，就需要介入並打破失控的壓力循環。

我會在壓力循環圖中加入更多元素，但現在會從簡單的版本開始。從這個版本可以清楚看出一個循環中，生理與情緒元素如何環環相扣、彼此強化。

舉例來說，與腎上腺素有關的刺痛感或疼痛感，會引發相關情緒，令人突然感到恐懼或擔憂。但同樣的，突然感到恐懼或擔憂，也會觸發不舒服的生理感受。當壓力是慢性的，腎上腺素的反應會一直持續。試圖透過自我控制，刻意阻止循環，會令我們更加失控，因為生理與情緒喚起反應會彼此強化，更進一步消耗已經所剩無幾的反應能量。當人們突然言行衝動，通常會被視為軟弱，但這其實是一連串事件生理鏈的徵兆。

與其堅持必須更懂得控制自己，以使自己不出現衝動行為，自我調整則教我們如何辨識衝動的根源，並打破循環。通常，只要辨識出情緒與生理之間的強大連結，就足以創造一個真正的開始。

配備有儀表顯示系統的車子，會在引擎過熱、各種液體不夠、燃料不足時，警告我們，但人體內並沒有這樣的系統。當我們卡在壓力循環中，而且燃料箱就快耗盡時，沒有儀器會告訴我們。而人體正是透過負面情緒、想法及行為這類訊號，讓我們知道自己已承受了過大壓力，就快空轉了。

我們在試圖調整孩子時，了解這點尤其重要。問題是要孩子、甚至青少年把自己的感受說清楚、講明白，相當困難。他們會透過行動，甚至沒有任何行動表示，讓我們知道他們的狀況。

一旦我們學會如何解讀孩子的訊號，就能採取有效步驟，幫助他們管理喚起狀態。不過父母的第一步，最好是先辨認出自身發出的訊號，當父母親為了照顧孩子，忙得一頭熱時，往往會忽略或否認這些警訊。

貝妮絲與歐婷母女的故事：家長和孩子一樣需要自我調整

貝妮絲來找我們，協助她的十二歲女兒，她女兒正陷入嚴重的憂鬱症。但是貝尼絲自己也焦慮得不得了，整天像隻無頭蒼蠅般瞎忙，手指間的汙漬，顯示她是個老菸槍。她因為擔心女兒，早已筋疲力盡。

貝妮絲是那種不會把個人需求放在女兒之前的媽媽，但問題是，她自己已深陷壓力循環，卻還火力全開，持續以超光速前進。

她一直睡不好，操心經濟狀況、另一個孩子、婚姻及工作。每當半夜醒來，她擔心的事一件件閃過心頭，一旦歐婷狀況不好，她又會更緊張、更脆弱。這種擔心、緊張、脆弱、更加擔心的反覆循環，只會增加她的壓力，消耗她的能量。

貝妮絲的例子，也帶出一個很有意思的現象，而且在父母身上屢見不鮮，我們稱之為家長對「自我調整的雙重標準」。對於女兒，貝妮絲立刻看出女兒做「自我調整」的重要性，但對她自己，卻絕對相信要更能「自我控制」，而且都是為了女兒好！

她雖然明白女兒是因為太多生理、情緒與社會問題，而承受過多壓力，但她卻認為自己得對女兒的焦慮負起全責，甚至心生罪惡感，而且很確定自己需要付出更多努力，以控制焦慮。

自我調整不只是孩子的事

貝妮絲花了好一段時間，才終於承認自己跟女兒一樣需要自我調整。貝妮絲決定跟歐婷一起去上瑜伽課。她在當媽媽之前，曾做過瑜伽，她很能享受其中，也因此感到平靜。沒多久，貝妮絲及歐婷每週來與我們會面時，後背包都會綁著瑜珈墊。

當然，在收到好的結果之前，還發生了很多很多事，不只是做淨化呼吸練習這麼簡單。一方面，貝妮絲有強烈動力，只要能讓母女關係好轉，她什麼都願意做。另一方面，歐婷做自我調整練習之後，大有斬獲，貝妮絲看到女兒神奇的改變，無助感逐漸散去。不過最大的動力，來自於貝妮絲願意承認自己跟女兒一樣，都需要自我調整。她們進步神速，是因為母女倆透過對方來學習自我調整，而不只是女兒單方面的改變。

自我調整五步驟

孩子在面對各種挑戰時，以自我控制為出發點的諸多論點，只會得到一成不變的相應之道。相對的，自我調整開創了廣泛的開放系統，來調節內在能量，幫助我們在任何狀況下，都能處於最佳狀態。對自我調整力了解愈多，就愈能將令人困擾的行為，轉變為積極的改變機會。

各種年紀的孩子都能學習自我調整技巧，我最主要的目標，是幫助大家學習如何幫助孩子自我調整，就像貝妮絲一樣。學會如何解讀孩子的訊號，了解孩子行為的重要性，辨識出壓力源，降低壓力，並與孩子一起經歷自我覺察的過程，而不是壓抑或控制他的想法、感受或行為。

你會幫助孩子體驗到「平靜」是什麼樣的感覺，學會如何冷靜下來，或在感覺需要冷靜時，創造出這樣的狀態。以下五個自我調整的步驟，將內化為不假思索就能自動運作的習慣：

1. 解讀訊號，並重新建構行為。
2. 辨識壓力源。
3. 減少壓力。
4. 好好想想。覺察自己何時壓力過大，並了解原因。
5. 做出回應。找出有助你冷靜、休息及恢復的方法。

這五個步驟，每一項你都能學習為自己而做，並成為當下就能運用的日常習慣：

解讀訊號，重新建構行為。接下來提到的許多內容，都是關於學習如何理解行為的意義，不然你只會覺得這些行為很困擾，或令人不舒服。一開始，可以從自身做起，學習如何解讀自身發出的訊號，並一一辨識，重要性並不亞於發燒或起疹子。

辨識壓力源，並問：「為何是現在？」壓力通常是指工作、金錢、社交焦慮，及事情太多做不完、時間不夠。這些當然都是壓力源，但是「壓力」是個更廣泛、更微妙的概念，尤其是當我們注意到「隱藏的壓力源」時。

對於某些人來說，噪音及某些聲響，會是重要的壓力來源。對於另外一些人，光線或視覺刺激（太多或太少）會造成壓力。其他共同的壓力源，還包括氣味、材質、站或坐，以及等待。值得注意的是，環境可能帶給人極大壓力，但我們卻將之視為有意識的訊息，阻擋在外。然而，大腦深處的監視系統，像是哺乳動物腦及爬蟲類腦，並未將之阻擋在外，還一直與我們內在的接收器對話，討論如何面對環境壓力。

減少壓力。如果你對光線非常敏感，可以將電燈開關調整為可微調光線的種類，這讓你能把光線調到讓自己舒服的亮度。在自我調整中，「微調開關」可說是通用的譬喻。我們有生理、情緒、認知及社交壓力源，如果每一種壓力源都有微調開關，會很有幫助。

好好想想。覺察自己何時壓力過大，並了解原因。我們會變得慣於承受過大壓力，甚至讓高壓狀態變成了「常態」，以致當我們靜坐，把注意力放在呼吸上、處於平靜狀態時，會感到比狂躁狀態更難受千倍。自我調整發展出對內在狀態的自我覺察，有時發展很慢，因此這種改變不只可以忍受，還能令人樂在其中。最終的目標，是察覺壓力過大的原因，而不只是看到表面的症狀。

做出回應，找出能恢復平靜的方法。最後，我們需要擬出策略，來減少緊張，補充能量。這一點讓自我調整完全是趟個人之旅，沒有一體適用的策略。能讓某人感到冷靜的方法，可能會對另一個人造成反效果。某一天讓你感到鎮定的策略，下一次可能就沒效了。這就是為什麼前四個步驟是必要的，有助於強化第五個步驟。

當你有能力讀懂訊號，你就能分辨出適應良好與適應不良的因應策略。有些因應策略被認為適應不良，是因為它們只能做到短期緩解，之後甚至會消耗更多能量，使我們更緊張、更容易受到低度喚起或高度喚起狀態的影響。

自我調整策略本身就具有適應性，也具有長期的影響及價值。焦點永遠要放在你與生俱來的自我調整系統上，讓此系統維持平衡，並能長長久久。

廣為人知的「正念練習」最大的訴求即在於，這些練習代表一種重要的、非藥物的方式，來處理令人困擾的症狀。但還有一點很重要，那就是千萬別忽視如「心猿」（譯注：**雜亂浮躁的心**）這類困擾人的症狀，正是壓力過大的徵兆。

除此之外，也要考慮到個體差異。有些人，尤其是孩子，會覺得把注意力放在呼吸或靜心練習上，會對他們造成壓力。正如我們實務上所見，有些正念練習是有效的，但因為這類練習會引發更大的焦慮，因為又多了一件要控制的事，有時反而會對自我調整造成反效果。放鬆練習的選項很多，重要的是，幫助孩子找到最適合的方法。

我們需要的不是強大自制力，而是安全感

當你半夜醒來，心有諸多罣礙，你很自然就會認為之所以會睡不著，是因為眼前種種急迫的問題。其實不然。這類揮之不去的焦慮想法是種警訊，是你的內在警報在睡覺時被觸發了。當你上床睡覺時，你可能還處於緊張狀態。無論是什麼觸發了警報，你的心跳、血壓及呼吸速率都增加了。讓你無法入眠、增強焦慮的，是腎上腺素的分泌。你需要前額葉皮質裡的系統，重新並理性的控制內在焦慮？別傻了，它們老早被擱置一旁了。

透過腹式深呼吸，以及能讓你感到平靜的正念練習，可以打斷如迴圈般的壓力反應。簡單的正念練習，已被證實能讓大腦平靜下來，這些練習包括將意識放在呼吸上，慢慢吸氣及吐氣、觀想能令你感到平靜的某物或某人，或是其他類似的靜心活動。

重點應放在多去嘗試各種方法，以獲得加乘效果，而非只想著求得一種終極的解方，以為能像特效藥一樣一試見效。你的孩子應該探索各種自我調整的活動，包括運

動、音樂、藝術，或其他正念活動。你可以畫畫，或者聆聽能讓你平靜下來的音樂。**自我調整的目的，不在於轉移你的注意力，或是壓抑令你心煩的念頭；你要做的是打破壓力循環。**光是重新建構行為，便能立即釋放壓力，讓復原功能恢復運作，並使前額葉皮質再度發揮功用。

今日的壓力源無所不在，我們經常壓力過大，卻毫不自知。人類不太會注意到自己何時處於能量降低、高度緊張的狀態，我想這背後必有極大的演化因素，也就是把注意力放在外部威脅、而非內在的喚起狀態上。

而自我調整真正的力量在於，辨識並了解我們處於怎樣的喚起狀態，又如何釋放緊張情緒。其結果，不是我們終於有了力氣來控制並戰勝心魔，而是隨著壓力得到釋放，心魔就這樣自動退散了。

02

找出孩子壓力大的真正原因

長久以來對於自制力或意志力的誤解，扭曲了我們對孩子的了解。讓自我調整，而不是自我控制，成為我們努力的焦點，第一步就是找出帶給孩子壓力的真正原因。

今晚是上體操課的日子。我很期待能從樓上的家長區，看八歲大的女兒上課。我不常有機會前來，而今天剛好不用工作，可以來看女兒做我連做夢也沒想過的事。

我身旁的椅子上，有對年輕的爸媽帶著三歲大的小孩，這孩子用臨床術語來說，就是「精力充沛」。他是如此充滿活力，嘰嘰喳喳，問個不停，跑來跑去，敲玻璃引起姊姊的注意，拚命要其他孩子跟他一起玩。孩子的爸媽覺得他的行為很煩，沒多久，我就把我女兒完全拋諸腦後，只關心他們在五分鐘之內，對那孩子說了幾次「不可以」（一共是十四次）。

他們斥責他的次數愈來愈多，剛開始，那對爸媽還好聲好氣，沒多久就不耐煩起來，而且是真的火大了。他們要孩子安靜坐好，但這對他來說根本不可能。他們試著給他從家裡帶來的健康零食，給他買爆米花，給他手持式遊戲機，甚至賄賂他，但沒有任何方法能讓他安靜一分鐘以上。

有一回，他媽媽打了他的屁股，並強迫他坐到椅子上。這小傢伙皺了皺鼻子，盡可能坐得直挺挺的。他努力堅持了好幾分鐘，就又偷偷摸摸溜下椅子，還小心翼翼看著爸媽。等他發現爸媽正全神貫注看著姊姊，他就跑來跑去。同樣的情節，一再反覆上演，兩個小時就這樣過去了。

我看著這一切，深感同情。我跟自己的孩子也有過類似狀況。我想，在被孩子弄得很煩時，每個人都會受不了。「為什麼我第一次叫你吃飯時，你不過來？」「為什麼要你洗個碗，這麼困難？」「你為什麼會這樣對你媽講話？」重點來了：如果我們不僅僅只是感慨，而把這些情況視為是真正的問題呢？

孩子絕不是非「好」即「壞」

上體操課那天晚上，那場家庭劇碼在我眼前上演，家長觀看區還有好幾個同樣年紀的孩子，他們都能安靜坐著。所以，是什麼使得那個小傢伙這麼坐立不安？為什麼他爸媽的努力一點效果也沒有？又為什麼會在那時候發生？這才是重要的問題。

或許他覺得在狹小擁擠的空間裡很不舒服，他需要動來動去，才能感覺安全。或許他覺得木頭椅子很硬，不好坐；或許他覺得體操課無聊至極，也或許他覺得體操課好棒，得跳來跳去表示興奮。這份清單上，還可加入許多「或許」。但重點是，比起他該怎麼做，當時他的行為表現，更清楚顯示出他的壓力過大。他的爸媽告誡他，要他控制自己，但他們說得愈多，他就愈抗拒，爸媽也就愈絕望。

事實上，這個男孩的行為，以及他爸媽因沮喪而發脾氣的反應，都不是因為他們天生缺乏意志力或自制力。每一個人都受夠了，也不曉得該怎麼辦。我們都知道這種感受。當我們試圖面對孩子時，有任何方法能改變親子之間的拉鋸戰嗎？最重要的是，有可能改變結果嗎？答案是，有。只不過，要讓這可能成真，我們需要在思想上做出巨大改變，**讓自我調整，而不是自我控制，成為我們努力的焦點**。

有時我們會把這兩者搞混，之後可以看到一些例子，即使是專家也會分不清楚。身為父母，當孩子的行為或自己的反應感覺「失控」時，我們自然而然會假設是因為缺乏控制。但是，當我們把焦點放在控制上的同時，也就關上了機會之窗，代表對話結束了、不再有可能產生建設性互動、教導孩子永久價值的時刻也就此告終。而自我調整卻能立刻打開機會之窗。這一切就始於一個簡單的發問：「**為什麼是現在？**」

帶著意識，分清楚自我控制與自我調整，是很重要的。不然，便是默認了孩子非「好」即「壞」，這麼一來，我們對於孩子的品格、學習與生活潛能，所做出的假設就會有誤。

當棉花糖實驗遇上自我控制神話

一九六三年，美國心理學家、史丹福大學教授米歇爾（Walter Mischel）做了一個簡單的實驗，後來成為一個參考指標，說明自我控制是孩子有成功人生的重要關鍵。這個研究，涵蓋了六百名四到六歲的孩子。米歇爾證明，如果孩子能為了將來可吃到更多棉花糖，而抗拒眼前棉花糖的誘惑，選擇等待，他們的在校表現會隨時間過去而更好。

後續的追蹤研究指出，在實驗時能延宕滿足的小孩，長大之後，不管在任何方面都表現得更好，像是完成高中學業及上大學的可能性更高；無論是心理或生理上的健康問題都更少；較不可能參與盲目的冒險行為；不容易犯法或上癮；在「生活滿意度」上得分較高。

人們很容易就認為這跟自我控制有關。有點可怕的是，用小孩是否能抗拒誘惑，來預測他將來的生涯發展，這種衡量方式有點粗糙。「棉花糖實驗」似乎證實了古老的信念，也就是自我控制是未來成功的關鍵。甚至這個實驗裡的小孩年齡被當成證據，證明在那麼小的年紀，就能檢測出自制力欠佳。將這兩項假設放在一起，更助長了人們的想法，以為若能及早介入，就能強化孩子的自制力，並確保他的人生會成功。這種想法，反過來使得行為矯正成為教養、教育及許多專業諮商的支柱。

這項「延宕滿足」的任務，甚至成為「芝麻街」童謠的主題，在網路上流傳。然而，少為人知的是，孩子在這項任務中的表現是可被操控的，或者就這主題，青少年、大學生，甚至成人，都可操控。

如果你讓孩子在這項任務前就累垮了，或是讓孩子很焦慮，他無法等待的機率就會急速上升，即使他先前一點問題也沒有。如果你讓孩子在吵雜、擁擠或味道強烈的環境進行實驗，或者先灌輸他某些負面思想或情緒，他也很難熬過等待的時間。

棉花糖實驗，壓力有夠大

或許棉花糖任務看似無傷大雅的趣味實驗，但它其實經過精心設計，以觀察孩子如何處理壓力；但事實上對許多孩子來說，這個測驗的壓力大得不得了。孩子被獨留在無菌室裡，什麼也不能做，只能坐在桌前一張不舒服的椅子上，對著面前的棉花糖乾瞪眼。除此之外，等待陌生的大人回來給他獎勵，卻無法得知要等多久，這也會對孩子造成壓力。看孩子在這項測試中受到的煎熬，你便能知道對他們來說，那感覺多像永無止境的等待。為了四歲小孩，量身打造一個就連太空人都不得不忍受才能待著的隔離艙，這簡直就是壓力測試。

最新的科學研究則告訴我們，孩子對於棉花糖實驗苛刻情境的反應，絕大部分取決於內在的喚起狀態。在裝有棉花糖的盤子出現之前、在聽到指導語之前，孩子有多麼冷靜，才是重點。當孩子選擇先拿了棉花糖，而不是為了獲得更多棉花糖等久一點，這個事實並沒有透露太多訊息。「**為什麼孩子會這麼做？**」這個問題，才能真正帶我們進入自我調整的領域中。自我調整，擁有改變行為的力量，並能擬出增強韌性、在充滿壓力的世界生存下來的終身策略。

孩子要在壓力狀態下坐好，更耗能量

為了回應壓力源，大腦會先激發消耗能量的代謝過程，之後又激發另一組代謝過程，以抗衡前一組過程，並促進身體的修復。這兩個互相抗衡的機制，從不間斷地運作著，維持身體內在環境的穩定，並控制核心體溫在攝氏三十七度上下。在一整天的活動中，人的體溫變化約在一度之內，通常早上體溫較低，午後或晚上體溫較高；如果變得太熱，身體會散熱、流汗，讓身體恢復平衡。如果變得太冷，就會發抖或牙齒打顫。

這些過程都需要能量，最耗費能量的狀況莫過於當邊緣系統（也就是管理強烈情緒與驅力的「情緒腦」）敲響警報時，我們會回應威脅，然後復原。我用汽車的油門與煞車來比喻：當杏仁核將某事視為危險時，下視丘便會踩下油門；當杏仁核關閉警報器，下視丘便會踩住煞車。

問題在於，杏仁核若是太常拉警報，下視丘便會一直踩油門，然後又踩煞車，造成煞車片耗損，恢復系統就會失去彈性。當這種情形發生時，你會看到行為、學習，或是生理、社交及情緒方面的問題，一一浮現。自我調整能使情緒腦冷靜下來，平息警報與整個系統的喚起狀態，這麼一來，這兩個反應與恢復系統就能一起流暢且平穩的工作。

重點來了：孩子若是處於筋疲力竭的狀態，就會更難抗拒衝動，不論這股衝動是抓取誘人的棉花糖，或是在大人命令他坐好時跑來跑去。無論如何，驟下結論認為棉花糖研究跟自我控制有關，你就會錯失關鍵。

要安靜坐好是需要能量的，在壓力下安靜坐好，更需要消耗能量，這是生理事實。壓力愈大，能量耗損愈多。甚至如果你把自我控制當成目標，你的反應就更可能會給孩子增加壓力，讓事情變得更糟。

我在家長區遇到那名動個不停的小男孩，就是個好例子。當他爸媽想讓他安靜下來的努力失敗之後，繼續加碼。他們不斷訓斥男孩別再亂動，還打他屁股，這些做法，只會讓男孩承受更多壓力，使他更躁動不安。

最糟糕的結果是父母親的嚴厲作風，讓孩子從戰或逃反應進入凍結模式，但大人很容易就把這種狀態誤解為他終於服從了。父母親可能會想：「嗯，現在他終於聽話了，現在他知道我是認真的！」但很不幸的，在凍結狀態下的孩子其實不太了解你的意思。一個孩子愈是處於戰或逃，或是凍結反應中，對壓力的反應就愈敏感。神經系統愈容易發出警報，也愈難冷靜下來。

孩子抗拒不了誘惑，並非意志力薄弱

自我調整與自我控制的分別，不僅僅是字義上的咬文嚼字而已。文字與觀念具有持久的力量，在我們觀察孩子的方式上，尤其可見其影響力。當我們觀察孩子時，長久以來對於意志力或自我控制的觀念誤解，扭曲了我們對孩子的了解，也使我們在觀察孩子的潛力時受到局限，甚至令孩子的潛力無法發揮。譬如，這樣的觀念讓我們以為小孩無法抗拒棉花糖的誘惑，是因為天生意志力薄弱。

用懲罰與獎勵來教孩子自我控制，根本是種誤解。一般會將這種方式稱為行為主義。一百年前，美國心理學家華生（John Watson）主張，當你明智審慎的使用有科學根據的獎懲系統，你便能隨心所欲形塑任何孩子的性格。此派觀點認為，要從哄嬰兒睡覺時回應他啼哭的方式做起。做法是，要安撫啼哭的嬰兒，你只獎勵想要他改變的行為；嬰兒必須學會自己控制沮喪；你要克制自己不輕易安撫寶寶，這才是教會寶寶更有效的做法。

順著同樣的思路下來，棉花糖研究指出，四歲小孩若意志力薄弱，是因為他的爸媽沒有教會他，如何約束或控制自己對於「立即滿足」的天生誘惑。關於兒童教養的種種理論誤導人心，卻已廣泛流傳。一直要到這幾年，我們才逐漸理解這種觀點造成了多大傷害。

長久以來，我們將孩子的心理、行為及社交問題，怪罪於缺乏自我控制。我們也看到了這類問題兒童的人數激增，但如今能更正確了解到，這些問題是跟自我調整有關。舉例來說，兒童時期的肥胖與糖尿病日漸普遍，其所反映出的，遠遠大於孩子缺乏抗拒垃圾食物的意志力。

孩子們有某些更根本的部分失去了平衡，只是一味強烈要求自我控制，無法根除問題。孩子們需要的是自我調整，才能每天處於最佳狀態，也才能對行為及健康做出有意義的改善。除非了解這一點，不然我們便是冒著風險，使幼兒已然狀況不佳的自我調整力更添變數。

找出帶給孩子壓力的原因

多年來，棉花糖研究已有數不清的變形，到目前為止，最有意思的發現是，增加人們所受到的壓力，可以操縱人們的表現。各式各樣的壓力源，都曾被拿來研究過。譬如，要受試者思考或看著令人痛苦的景象。受試者也可能在吵雜的噪音或強烈的氣味中進行任務。用來測試的房間可能刻意弄得太熱、太冷或太過擁擠。或者故意選在受試者飢餓或睡眠不足時進行任務。

研究結果顯示，情緒、生理或心理壓力愈大，我們就愈難延宕滿足。這樣的結果告訴我們，孩子抗拒衝動的能力，首先是與喚起狀態有關。這顯然是壓力過大的結果，也是壓力過大對所保存能量的影響。

當你壓力過大或者身心俱疲時，還要保持思路清晰，請試想這有多難；相反的，當你感到沉著鎮定時，時間多麼輕易就過去了。由此來看，孩子的行為便是生理及情緒因素的表現，自我調整的作用，在此便與自我控制形成了明顯對比。

壓力源有各種不同的形式與強烈程度，包括環境的、生理的、認知的、情緒的及社交的壓力源。每一個壓力源，都會影響自我調整的過程。

讓孩子身處吵雜的教室裡，坐在狹窄的椅子上，身邊的同學令他分心，再加上需要專心面對的課業，對孩子來說，這是項艱巨的任務。沒好好吃頓營養的早餐、一整夜沒睡好，就出門上學，會使孩子倍感壓力，並消耗更多能量。回想一下，最近一次孩子的情緒爆發或崩潰，即使是在自己家中。**找找看帶給孩子壓力的原因，你一定找得到。**

這些不同的壓力錯綜複雜，糾結在一起，讓事情更難應付。操場上常常見到，因發生了某件事讓孩子很焦慮，因此變得很緊張。緊張會消耗孩子的能量，令他更難注意周遭微妙的社交線索，這又會讓他更焦慮、更難與有助於他冷靜下來的朋友保持連結。如果孩子持續處於緊繃狀態，能量愈來愈少，他就會逐漸陷入崩潰邊緣。這樣的循環，會不斷出現在孩子一整天的生活中。對某些孩子來說，他們的感受會特別強烈，這得視不同孩子的敏感程度、氣質與處於各種壓力之下的韌性而定。

孩子在沒有選擇的情況下空轉，最後崩潰

當孩子的壓力過大、壓力來源很多時，通常不會透過語言來表達，卻會表現在行為及心情上，變得無法傾聽其他孩子說話，也跟別人處不來。當環境因素對孩子造成過大壓力，譬如聲音、氣味、視覺、椅子或襪子帶來的不適感受，孩子就很難專心，或是會對惹惱他們的人，小小發火一下。

還有一類孩子，通常對環境因素無動於衷，在社交上也很自在，但是父母離異、或是其他情感狀態的突然改變，卻使他無法承受。有些孩子則苦於缺乏睡眠、運動量不足及營養不良，今日的孩子，生活中經常缺乏這三項。

以上狀況，根本原因都是一樣的：孩子都受到了過大壓力，並且缺乏足夠能量來應對。過多的壓力榨乾了孩子的能量，使他們的生活疲於奔命。

而且問題比這還要嚴重。當壓力榨乾了他們的能量，就只能靠腎上腺素及皮質醇，讓他們繼續活動。這就是為什麼孩子會變得過動或狂躁的原因，這對小孩及大人來說都一樣難受。這絕對不是孩子能控制的。

我們常會想，「要是孩子能選擇那麼做就好了。」在此請注意，孩子並沒有選擇自

己的行為。能讓孩子有意識採取特定行為的大腦部位，正是在他變得過動或狂躁時，關閉反應的部位。我甚至不確定體操課那個小傢伙有聽到爸媽的要求，更別提他有沒有聽懂了，因為這部分的大腦一樣也停工了。

對孩子的行為改觀，找出「為何是現在？」的真正原因

從你辨識出孩子的問題行為，其實是因壓力過大所致的那一刻起，你們的關係就完全改變了。對自我調整來說，這就叫**對孩子的行為重塑觀點**。

一旦你能分辨偏差行為及壓力行為，你會發現，當孩子做了令你困擾的事，你會更容易停下來想一想，而不是憑著一股衝動，做出回應。你不再發怒，而是好奇；你會打開五官傾聽，而不是規誡訓斥。你的反應不會給孩子增加更多壓力，耗盡他更多能量，而是能幫助孩子冷靜，再度恢復平衡自持。這就是自我調整力。

自我調整力建立在五個發展領域之上：生理、認知、社交、情緒與利社會（prosocial）。這五個領域彼此互動、相互影響，每個領域都能對「為何是現在？」這個問題提供答案。除了很小的孩子以外，因為對小小孩而言，社交及利社會不是有意義的因素。

從一些顯而易見的跡象，便可看出孩子受到過大壓力，但這些行為，卻常被誤解為

偏差行為或是態度不佳，像是以下這個孩子——

- 不容易入睡，也容易醒來。
- 早上很愛發牢騷。
- 很容易心煩氣躁，一點小事就會受不了，一旦發作，就很難冷靜下來。
- 性情善變，一下子很快樂，一下子很難過。
- 很難集中注意力，甚至聽不見你講什麼。
- 太常生氣，或者似乎過於傷心、恐懼及焦慮。

因為這些行為而責怪、羞辱，或甚至處罰孩子，只會讓事情更糟。懲罰本身就是壓力來源之一。正如先前提過的，加重懲罰會讓孩子產生凍結反應。在大腦回應壓力的策略層級上，凍結反應是令人擔憂的階段。表面上看起來跟自我控制很像，卻跟自我控制恰好相反：孩子不堪負荷，反應系統無能回應。

當我們開始把行為視為是對於壓力、喚起狀態及能量層次的自我調節，而不是只要求孩子自我控制與絕對服從時，便會帶來戲劇性的改變。

有時候，解決方法驚人的簡單，你只要降低講話音量、把孩子房間變整齊、或者改變房間的照明，就能起變化。某些孩子會經歷深刻且較為複雜的掙扎，不只他們、連我們都會感到困惑。我們看著孩子嘗試之後失敗，孩子束手無策，既不明白怎麼了、也不知道該怎麼做；或者我們看著孩子放棄，我們了解狀況，卻仍深感遺憾。不管是哪一種情形，重塑對孩子行為的觀點，還是能立即改變你與孩子的互動，讓你對孩子有更深刻的了解，並帶來持久的改變。

史蒂芬的故事：從小就是問題寶寶

史蒂芬的爸媽打從一開始就知道，他們的男寶寶需要極度的耐心、溫柔、愛與關懷。

費盡心力的嬰兒時期

史蒂芬的出生過程並不順利，在新生兒健康的關鍵評估「愛普珈新生兒評分法」（APGAR）*上，得分也很低。他有黃疸，心跳及呼吸速率很快，並顯得十分不安。這些情

＊譯注：一九五二年，由美國紐約麻醉科醫生愛普珈（Dr. Virginia Apgar）所設計出的評估方法，在新生兒出產道之後，立即評估包括心跳速率、呼吸速率、肌肉張力、刺激反射以及皮膚顏色變化的狀況。

況代表，在他剛到這世界的前四天，他得待在新生兒加護病房接受膽紅素燈照射。在他生命伊始，最大的挑戰之一是他對光線、味道及氣味較常人敏感〔我們稱之為「過度敏感」（hypersensitive）〕，但是他對聲音又不夠敏感〔可稱為「低度敏感」（hyposensitive）〕。他的聽覺雖然正常，卻無法分辨某些字音。再者，當他愈疲累或壓力愈大時，這些過度或不夠敏感的情形就愈加明顯。

不出所料，史蒂芬的頭一年過得很辛苦。他在飲食與睡眠上都遇到很大問題。他經常啼哭，而且很難安撫。小兒科醫生建議他們來尋求我們的幫忙，一開始，我們一起找出史蒂芬的壓力源，並發展出讓他能冷靜下來的策略。

史蒂芬的爸媽學會用柔和的聲音說話，放慢說話速度、手勢及動作，一這麼做之後，史蒂芬變得平靜多了。當他激動時，他們試著輕輕搖晃他，讓他舒服些，並且避免帶他去超級市場之類的吵雜環境。這種場所會讓他感官超載，很快就會承受不住。

到了二歲時，史蒂芬還是很容易不安，但開始能每晚都在同一個時間入睡，並且能整晚好眠。他的進食狀況也日漸好轉。更重要的是，他開始很喜歡他的爸媽。只要聽到媽媽的聲音，他就會微笑，當爸爸輕輕拍他，或是把他靠在肩頭上，他都會感到平靜。

學齡前的困境

接下來幾年內，當史蒂芬有機會與托兒所及幼兒園裡的其他孩子互動時，新的困難又產生了。

其他孩子興致勃勃的活動，史蒂芬卻難以勝任。他對聲音不夠敏感，意味著他無法理解一般的聽覺線索，譬如人們對他說話時的語氣。他缺乏反應的狀況讓其他人感到困擾，有時也會惹惱別人。在家裡，他的爸媽了解他，也發展出溫暖、支持的方法，鼓勵他參與對話；但是在社交情境中，一旦他跟老師或其他孩子的對話出了狀況，史蒂芬就變得很緊張，且情緒失控。

史蒂芬在精細動作的掌控能力上也遇到問題。簡單的活動，如著色、疊積木或是操縱玩具，很容易就令他感到沮喪。他的挫折感使日常的社交或學習活動，對他及他身邊的人來說，都更具挑戰性、也更有壓力。

史蒂芬也有表現好的一面，他在活動時的粗大動作能力相當不錯。一歲時，他就已經能夠跑了。他的父母親會定期帶他走一段長路，每一次散步，他都會走得比之前更遠一些，才要人將他抱回車上。史蒂芬很愛打打鬧鬧的遊戲。三歲生日時，他已經能翻筋斗，四歲時，他最想玩的就是溜冰及打曲棍球。我們稱史蒂芬這種小孩是「過度尋求感官刺激」，這類孩子需要很大量的動作，來感知自己的身體。他溜冰溜得愈久，就變得愈加平靜；他愈能吃，就能愈早上床睡覺，且睡得更沉。

五歲時，史蒂芬已長成一個活躍的孩子，只不過，他就是無法不惹麻煩。當他很放鬆時，他是個很可愛、很好相處的孩子，他在家裡往往如此。但一旦受到挫折，或是與朋友之間出現狀況，他就會暴怒。

史蒂芬並不知道如何跟玩伴相處。在學校裡，事情不如他意時，他會一把抓走玩具，或蠻橫待人。他媽媽認為，幫他找一對一的玩伴在家裡玩，會讓情形改善，結果並沒有。不論是在學校或是在家裡，因為玩具而起的一點小爭執，很快就會變得難以收拾，而且史蒂芬很容易就動手推人或打人。漸漸沒有孩子想跟他一起玩，也沒有人邀請他參加生日派對。

史蒂芬總是很難安靜坐好，在團體活動時間，他也很難融入團體，或遵循指示。他不太能理解這些場合中的社交線索，這個事實只會給他帶來更多誤會與誤解。五歲時，史蒂芬已經先後被兒童體能教室、兒童繪畫教室、學前夏令營及一所教法先進的幼兒園給踢出大門。史蒂芬不是拒絕參與團體活動，就是加入之後，搞得整個團體雞飛狗跳，人們只好請他離開。

小學依舊問題多多

史蒂芬不斷被歸類為「問題」兒童，即使如此，當他冷靜時，他還是很可愛、很認真。儘管他爸媽不管遇到什麼困難，總是持續給他溫暖與支持，但是他在學校跟課後活動，卻一直遭受責罵，被罰不准參加。人們無視於他也有很認真的時候，他也愈來愈不想投入。

到了七歲時，史蒂芬顯示出各種低自尊的跡象，這一點也不奇怪。再者，他不願意承認自己有錯，這一點通常只會激怒負責照顧他的大人。

縱使史蒂芬的爸媽竭盡所能照顧他，有時他們還是會害怕孩子「前途無亮」，每次遭逢新的挑戰或挫折，都會使他們的挫折與壓力上升。但是自我調整使他們更有能力冷靜陪伴史蒂芬，不只是史蒂芬，還有他們自己，在許多方面都進步甚多，也深受鼓舞。

他們持續採取降低史蒂芬壓力的方法。在家裡，他們限制他看電視，並堅持他要早點上床睡覺。在史蒂芬崩潰時，他們對他很有耐心，不會嚴厲斥責他，而且他們注意到，他開始能在崩潰之後，更快的重整自己。

之前提到史蒂芬四歲時，曾要求學溜冰、打曲棍球。但是很快的，我們便清楚看到，儘管他對打球充滿了熱情，等他真正下場打球時，還是極度焦慮：他得承受來自團隊運動、聽教練指示這些社交層次的壓力。還好有爸媽的協助，讓他挺住。

就像他需要有人幫忙綁溜冰鞋的鞋帶，而且他極端龜毛。他爸媽為了他的鞋帶不是太鬆、就是太緊，不知反覆幫他綁過多少次鞋帶，他們不但沒有生氣，反而還問他，這樣子綁是否可以了。不知怎的，他的爸媽就是知道不管他是真的不舒服，還是想像出來的，他都會一樣焦慮。

不斷減少壓力源，永遠是關鍵

他們一路走來，也發現有些老師、教練及友善人士很熱心，會協助史蒂芬降低學校生活的壓力，找出方法減輕他的焦慮，並幫助他把注意力拉回學習上。

在史蒂芬還是個新手，不知怎麼溜冰時，個性幽默的曲棍球教練會用三角錐幫他做冰上練習。隊友們也會為他加油打氣，只要他有一丁點小勝利，就會為他歡呼。當然，還有史蒂芬自己對溜冰的高度渴望，再加上其他支持，讓他充滿元氣，不斷努力嘗試。

又有個幼兒園老師，是那種天生的教育家，在這個憂心忡忡的小傢伙第一次離開母親的安全懷抱、勇敢投入學校生活時，她知道如何讓他放鬆。她看出教室裡的噪音會讓史蒂芬無法承受，所以在教室後頭安排了一個安靜角落，讓他需要時，可以待在那裡。

小學二年級時，有位關心他的老師，進一步減少教室裡令他分心的干擾因素，這麼一來，史蒂芬便能更有效的專注在學習如何閱讀上，他需要很努力才能學好。在此我們再度看到，重要的步驟是減少壓力源，這麼做能使他更容易專注，也才能好好掌握自己很想學會的技巧。

透過支持史蒂芬的大人們，不斷、不斷減少他生理及心理上的壓力源，他終於變得能夠專心、並仔細聆聽老師或教練的指示；他也能有效組織思緒與行動，以學習學校功課與打曲棍球；他能理解其他孩子的思考與感受，以及他自己的行為或說話方式，帶給別人的感受。

孩子終於學會自我調整

以上成果，都不是光靠意志力就能辦到的，而是自我調整力，讓史蒂芬可以調整能量，面對挑戰，做出改變。

隨著年紀漸長，史蒂芬學會辨識壓力源，調整情緒。他明白生理狀況會影響情緒跟適應壓力的能力，他懂得用更有效的方法處理壓力，不再只是一味激動憤怒。換句話說，史蒂芬學會了自我調整。

一路走來諸多起伏，但最後史蒂芬在學業與運動上都獲得成功。他在青少年時成為中學曲棍球隊隊長，也是學校裡天生的領袖人物。他變成我們都想看到的青少年，擁有堅定的友誼、明確的價值觀、勇氣與韌性。不管是棉花糖實驗或行為矯正模式，都無法預見、也不敢相信小時候大家看到的那個史蒂芬、或者許多因早期行為出狀況而被低估的孩子，會有今日的發展。

史蒂芬並非特例。無論你家孩子遇到什麼挑戰，希望導向正向改變及成長，自我調整力是不可或缺的關鍵元素。

自我調整是個漫長的過程。在某些方面，它能立刻改變你的關係及孩子的行為，其他的重要改變，也會隨著時間一一浮現。最重要的是，自我調整會加深並拓展你家孩子的內在資源，也會給你帶來同樣的幫助。

是揠苗，還是助長？責任在我們身上

再次強調，自我調整的根本原則是：透過調整孩子，孩子才能發展出自我調整力；絕非控制孩子，讓孩子學會自我控制。

自我調整是關乎覺察並改善喚起狀態的內在歷程，而非管理行為。在自我調整中，成人所扮演的關鍵角色，是關注孩子喚起狀態的「外部調整者」，直到孩子有能力管理自己的喚起狀態為止。

各式各樣的事物，都能引發孩子高度喚起的狀態，或是使孩子的能量及興趣皆變得低落的低度喚起狀態。遇到這種情形，重要的是幫助孩子恢復平靜，無論又發生了什麼事，我們都別再火上加油。

在這點上，史蒂芬是個絕佳的例子。要成為技巧純熟的曲棍球球員，需要投入無數時間，在冰上專注接受訓練，不過，這故事與「恆毅力」（grit）無關。至少在一開始時，史蒂芬會投入那麼多時間在冰上運動，是因為他發現，這項運動非常有助於他自我調整，這一點也適用於絕大多數因自己的選擇、而在某項活動投入許多時間的孩子。這些孩子之所以擅長烘焙、繪畫、彈鋼琴，並非因為他們想「成為頂尖人物」，而是因為做這些事情，讓他們感覺很好。

當史蒂芬及他的家人採取自我調整的做法後，他的轉變並非一蹴可幾。他經歷了許多起伏。通常，造成挫折的因素，是由生理狀況而起，譬如生病或是睡眠不足。

史蒂芬也發現，某些情緒讓他很難適應，像是愧疚感及罪惡感，這對每一個孩子來說都是一樣的。當他生病、過度疲倦，或者極度尷尬時，他會退回到小小孩的程度。他會變得很不安、具有攻擊性，即使是無害的言詞，也會回以一陣咒罵，反而讓情勢更惡化。或者，他會變得相當好鬥，甚至恐嚇別人，毫無理性可言。以他運動員的身材，又經過一番鍛鍊，他不只會給人某種壓迫感，甚至會令人害怕。但最嚴重的挫折，往往來自於別人對他的回應。

看到同樣的情形，一再發生在許多孩子身上，促使我寫出這本書。

孩子只是想告訴大人，他有多痛苦

當史蒂芬的爸媽選擇以自我調整做為教養理念，以及與孩子日常互動的核心，史蒂芬的故事就發生了典範轉移（paradigm shift）。

史蒂芬的爸媽在他很小的時候，就學著用自我調整的方式，來回應他的勃然大怒。

他們安撫他，而非帶著怒氣回應。我曾問過史蒂芬的媽媽，在這些風暴時刻，她如何還能這麼冷靜，至今，她的回答仍在我與其他家長及老師工作時，引導著我。

她是這麼說的：「**孩子其實並不知道自己在說什麼、做什麼，那只是孩子讓我知道他有多痛苦的方式。**」這正是重塑觀點的關鍵。

當孩子處於這類狀態時，我們往往把孩子說的話太當一回事。我們太習於用語言做為主要的溝通模式，以致於只聽到孩子表面的話，而沒有聽到他真正想表達的意思。

要是我們找到機會調整自己，**不要只聽到孩子說了什麼，而要去聽他如何表達**，相信我們所聽到的，會是一個小孩因為深陷痛苦而發出的聲音。在這些時候，我們的孩子，即使是年紀較大的青少年，都需要我們回到並做好「外部調整者」的角色。

史蒂芬的父母曾試圖幫他發展自制力，但是他們發現，當史蒂芬睡眠充足、營養均衡、適量運動，並進行自我調整，自我控制就不是那麼重要了。當史蒂芬愈來愈明白自己的內在狀態，以及某些壓力源如何影響他，就愈能察覺自己何時感到疲倦或緊張，並知道如何處理。儘管他還只是個青少年，他就知道在比賽或大考之前，他要避免在外頭過夜或是參加派對。他清楚自己需要一夜好眠，隔天才能保持在最佳狀態。

為人父母的生活裡，同樣充滿了各式各樣的壓力。

寶寶很黏人，總是在不恰當的時候哭個不停，家有新生兒的爸媽經常睡不飽，往往在缺乏能量的狀況下空轉。在孩子的童年與青春期，我們不斷與他們的情緒與善變的喜好抗爭。孩子甚至會尖叫崩潰，整個公共空間都是孩子的聲音，讓我們神經衰弱，也令我們得耗盡所有能動用的能量（包括你的及孩子的），來應付失控的局面。就如只要有一丁點火星就能點燃的易燃物，許多小事累積起來，一旦引發雙方的憤怒或挫折，就會導致情緒爆炸，一發不可收拾。

一直要到最近幾年，新興的科學及臨床診療，才對情緒及行為的生理學、自我調整的核心角色、支持自我調整的技巧（稍後的章節會解釋），提供清晰的認識。

學習自我調整，永遠不嫌太遲，當然也不會過早。事實上，大自然的設計就是要我們及早學習，就從出生的那一刻開始吧。

03 神奇的間腦：寶寶溝通與調整的特殊管道

寶寶出生之後，間腦就取代了臍帶，以及臍帶在調節過程中的重要角色。父母透過高階大腦，與寶寶的間腦進行親密互動，正是寶寶大腦成熟的關鍵。

偉大的美國生物學家古爾德（Stephen Jay Gould），在他的《達爾文大震撼》（*Ever Since Darwin*）中提到，人類的嬰兒全都是早產。也就是說，人類的嬰兒在人生的第一階段，是「子宮外的胎兒」。

書裡寫道：「人類嬰兒出生時還是胚胎，在生命的前九個月都是。」這個概念，改變了眾人的看法。而且相較於動物王國裡的其他生物，人類大腦在出生後，有相當長的一段時間是非常不成熟的。

每次當我以此說法做為演講開頭，家長們無不驚嘆。

人是生而無助的

當我們誕生到這世界時，無法自己進食，有將近一年的時間不會走路，連最簡單的照料工作都做不來。寶寶不時狂哭，便是在告訴你，他連自我調整的能力都尚不具備。但這就是人類的特別之處。為什麼大自然會讓新生嬰兒的大腦還有未竟之事呢？這跟當代的教養方式，又有何關連？

答案跟兩種同等必要的特質息息相關，這兩種特質，使早期的人類較其他物種有明顯的演化優勢。其一，是以兩腳走路，其二，則是腦子變大。

從節省能量的角度來看，人類直立有許多好處。最大的好處之一，是能空出雙手，使我們祖先，能為狩獵及家務打造省力工具。兩足步行，亦在解剖構造上帶來許多改變，最重要的便是大腦變大，許多技術及社會發展，都因此成為可能。

只不過有個問題。人類女性能分娩出的大腦尺寸就那麼大，而且還要能夠直立行走。大自然對此有個巧妙的解決方法：讓胎兒的大腦在出生之後繼續長大。懷孕四十週時，胎兒的腦袋已達最大尺寸，既不會對女性身體造成重創，亦可平安通過產道（有一回，我向一群為數眾多的聽眾解釋時，有個聲音從後排大聲傳來：「大自然太過分了！」）

當成人大腦的尺寸演化得愈來愈大，演化過程中出現的每一個人類物種所生下的嬰兒，其大腦尺寸與成人大腦相較，佔比卻愈來愈小。如今，新生嬰兒剛誕生時，大腦尺寸只有成人大腦的四分之一大。出生會刺激神經的爆發性成長，初生階段快速且密集成長的程度，在人的一生中非常獨特。軸突與樹突，也就是神經網絡的根部與分枝，開始生長，並在大腦不同部位之間形成連結。

在這些根枝之間的連結，稱為突觸，在生命的第一年，每一秒鐘就有成千上百的新突觸形成。在科學上稱此歷程為「旺盛的突觸新生」，這個名詞本身就說明了一切。而**突觸之間的連結如何成形，主要有賴於孩子與照顧者之間的互動**。

大約八個月大左右，大腦開始刪除冗餘的突觸，強化重要的連結。當寶寶透過爬行、伸手觸碰、抓取、拉扯事物，來探索世界，亂揮亂動的情形愈來愈少，肢體動作愈來愈有策略。突觸的強健生長與修剪，持續以不可思議的速度進行著，這個階段會一直發展到孩子四歲左右。等孩子大約六歲半，約莫百分之九十五的大腦便已長成。

在大腦早期發展階段，突觸的生長與修剪過程，是各方面發展的重要基礎。一旦受到損害，或多或少都會造成生理與心理健康的混亂。

孩子這一生的壓力反應（stress reactivity）＊，可說在生命第一年便已打下根基。支持語言、情緒及社交發展、思想與行為的神經系統與連結，全都在早期父母親與孩子的互動中建立起來。家長的焦點多放在新生兒迫切的生理需求，然而，之於更加深層、複雜的神經歷程，早期照顧可說是不可或缺的部分。

打從一出生，嬰兒大腦的未竟之業，便給我們身為父母的角色下了定義。嬰兒與雙親或照顧者之間親密且持續的互動，會刺激大腦戲劇性的生長及成形，對尚不成熟之嬰兒大腦的瞭解，以及大腦科學的持續進步，皆提供了驚人證據。大自然不只期待人類父母親扮演親密的育兒角色，也仰賴我們盡到這份責任。

誕生的風暴

到底新生兒受到了什麼樣的神經系統震撼？

胎兒在舒適的子宮待了安靜平和的九個月，一切風平浪靜；突然間，被迫離開備受保護的環境，通過狹窄的產道，受到擠壓擦碰。終於，胎兒誕生到這世上，結果卻發現，自己遭受到前所未有的多重感官刺激與攻擊：光線、噪音、空氣、寒冷，有人用手摸他，還用乾毛巾或毯子碰觸他的皮膚。接著這邊戳戳、那邊摸摸，測量身高體重、心跳速率、肌肉張力及反射，眼睛滴劑的刺痛感，注射維他命K及疫苗，腳後跟還被刺了一下，以採集血液。

新生兒還必須面對各式各樣新鮮的、陌生的，有時還很不舒服的內在感覺。光是呼吸，就是全新的體驗。當胎兒在子宮裡，臍帶會將氧氣及營養直接送到他的血流中，並自動排除在這狹小空間中環繞著胎兒的廢物及二氧化碳。

大自然確保新生兒有許多種反射動作，以驅動以上歷程，這並不表示新生兒就會比較輕鬆。光是這些就夠累人了，可還要加上「哭泣」這一項。有些證據顯示，胎兒在孕期最後三個月就會無聲的哭泣。儘管如此，初生的哭泣仍是響亮刺耳，而且聲嘶力竭。

即使有內外環境驟然改變，新生兒的基本需求與在子宮中並無二致，依舊需要感到溫暖、安全、穩當與支持。還必須想出方法，跟另一個人類溝通自己的需求，尤其此時自我調控與復原的能力還很有限。在新生兒來到世界的第一年，父母親或照顧者必須小心監控並處理寶寶需求，就跟胎兒在子宮裡時一樣。

＊譯注：壓力是由壓力源和壓力反應組成。壓力症狀的嚴重度，與兩者皆有關。

每一種刺激，都會引發壓力反應

讓寶寶感到舒緩，是早期照顧的重要部分，因為寶寶很容易受到驚嚇，每一次寶寶受驚，神經系統都會消耗大量能量。受驚反應是嬰兒的戰或逃反應，會造成寶寶從頭到腳肌肉緊繃，不由自主揮動手腳、將背拱起，心跳、血壓及呼吸速率也會增強、加快。大腦為了補償能量的損耗，會釋放恢復健康的神經激素，但假使壓力仍舊過大，便意味著必須降低能量的使用，抑制某些程序，包括免疫及生長系統。系統的關閉本身就會進一步成為壓力源。譬如，在一個持續充滿壓力的環境中，消化系統可能會變得遲緩，這會使嬰兒無法獲得生長茁壯所需的必要營養素。

對大人來說，念頭、記憶、情緒以及外在世界，全都能引發壓力反應。對嬰兒來說，我們主要關心的是內在及外在刺激，這包括如恐懼或生氣的原始情緒反應，皆是大腦對於危險最原始的回應，無論是真實的或感知到的危險。這些反應由哺乳動物腦及爬蟲類腦中的系統掌管，此系統在孕期的最後三個月啟動，而且從未「下線」。從寶寶還在子宮裡時，便負責監管環境中的威脅，連睡覺時也不停歇。

由於受到驚嚇會消耗大量能量，寶寶最好不要太常受驚，也最好一有機會就盡早從驚嚇中復原。在生理脈絡下談到「喚起狀態」，指的是寶寶在身心方面，對於內在感覺及外在感覺的警覺與反應程度。當嬰兒受到驚嚇，並且沒有機會復原時，很快就會變得高度喚起，生理與心理都高度緊張，甚至更容易再度受到驚嚇。

有些寶寶在高度喚起狀態下，會顯得無精打采，並出於本能，撤退回來保護自己，這就是嬰兒版本的「逃」。有些寶寶則變得煩躁易怒，這是嬰兒版本的「戰」。

梅蘭妮：愛上小酒館的寶寶

蕾秋與賽門來找我，因為他們沒辦法讓三個月大的女兒梅蘭妮，每天的睡眠時間超過六到八小時。通常，這個年紀的嬰兒應該每天睡大約十五個小時。

在他們的建議下，我們約在他們家附近一間受歡迎的小酒館。我原本以為梅蘭妮會跟姊姊待在家裡，結果出乎意料，他們用嬰兒車推著梅蘭妮，一起出現在小酒館。

當我提到這件事，他們都笑了出來，並且告訴我，只有在這裡，他們才能讓梅蘭妮「合作」，所以每天都會帶她上小酒館。沒多久，她就會撐不住，然後睡著，並且一直睡到離開小酒館為止。在我們碰面時，情況正如他們所說。

祥和的表象，是不安與壓力換來的

此情此景乍看祥和，梅蘭妮一到小酒館就睡，似乎也沒什麼問題。

而我立刻明白，帶梅蘭妮上小酒館，是個暫時解脫的機會，可以不用面對她在家裡哭鬧、使性子的困境。而且似乎也是個簡單的方法，可以讓她小睡一會，就像是開車帶她兜風，還不用擔心交通狀況。父母甚至可以好好吃頓飯，唯一的打擾，就是會有人稱讚梅蘭妮真像個小天使，在吵雜的環境裡還能睡得如此香甜。

蕾秋及賽門告訴我，他們如何嘗試減少梅蘭妮白天睡覺的時間，希望幫助她晚上早點入睡，並且睡久一點。他們試過在就寢時間放舒緩的音樂，當音樂無法奏效，他們還試過睡眠情境機，甚至把她的搖籃移到他們的床旁邊，以免她剛好需要他們。到目前為止，沒有一種做法成功過。

承認新生兒大腦尚未發展成熟這件事，開啟了新的觀點，來理解這可能是怎麼一回事。或許小酒館裡吵雜的噪音，讓梅蘭妮招架不住，進入夢鄉是原始的防衛機制，以保護她免於接受過多刺激。也就是說，或許她不是睡得很香甜，而是覺得這裡的壓力超出負荷。這意味著她在小酒館睡覺，也成了壓力來源的一部分。這也表示，她並未得到有助於恢復健康的睡眠品質，也就是快速發展的新生大腦與肉體需要的睡眠品質。她的交感神經早已超載。

梅蘭妮不只很難入睡，她似乎也不想睡。在幼小的孩子身上，這種情形很常見，卻經常遭到誤解。她的爸媽知道她絕對很疲倦，可是看起來她似乎讓自己處於不安的高度喚起狀態。人們很容易認為，抗拒入睡的孩子，其實並不真的需要睡眠，所以也沒必要強逼著睡覺。

在需要睡覺時抗拒入睡的現象，在孩子及青少年身上最為常見（大人也會）。但是在此可以看到，這早在三個月大的嬰兒身上就已存在。為什麼小嬰兒要經常抗拒睡眠呢？我們需要了解這種情形為何會變成一種模式，但更重要的是，如何打破這種模式。古爾德對嬰兒仍是胚胎的看法，再加上自我調整，對於抗拒睡眠所提供的解方，剛好與現有看法相反。

不只是睡眠問題

梅蘭妮的爸媽嘗試減少、甚至不讓她白天在家裡睡覺。就跟許多父母一樣，他們認為下午睡太多，是晚上不肯睡覺的元凶。事實上，小孩必須整夜好眠，幾乎變成一種普遍的迷思。結果造成絕望的父母拚命讓孩子晚睡，或在就寢時間給孩子吃很飽，這樣孩子才不會半夜醒來。事實上，梅蘭妮需要白天多睡，才能睡得更好。怎麼說呢？

如果只把這看成是「睡眠問題」，傳統的解決方法，便只將焦點放在睡眠本身，以及午睡及就寢時間的規律上。自我調整則將焦點轉到孩子的高度喚起狀態，以及如何打破讓孩子耗盡能量的循環。這個過程需要調整能量的使用，並採取步驟，幫助孩子一整天下來能消耗較少能量，儲存更多能量。梅蘭妮不只需要更多睡眠，以儲存更多能量；她也需要更多能量，好在就寢時間能安定心神，獲得更多香甜的睡眠。

睡眠問題促使梅蘭妮的爸媽來找我，但真正重要的課題，在於學習辨識孩子受到過大壓力的徵兆。自我調整的第一步，是解讀你家小孩的行為，找出壓力過大的徵兆，並牢牢記得你家小孩是與眾不同的。

同樣跟自我調整有關的能量問題，可能會以相當不同的行為表現出來。在梅蘭妮的例子裡，是寶寶睡不夠；但我們有遇過其他案例，是寶寶睡太多。有的寶寶會哭太多，有的寶寶則根本不哭。在某個案例裡，寶寶的爸媽一抱，反而會讓寶寶緊張不已；有的寶寶則是在爸媽的懷抱中就全身鬆軟。各式各樣的差異，難以一一細數，而且不盡然是寶寶沒有安全感的表現。不論是什麼狀況，我們都要認真以對。

交感／副交感神經系統

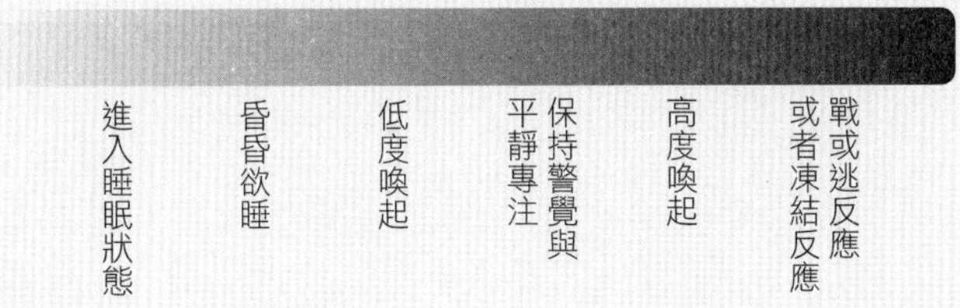

戰或逃反應或者凍結反應
高度喚起
保持警覺與平靜專注
低度喚起
昏昏欲睡
進入睡眠狀態

交感神經釋放腎上腺素及皮質醇，使能量往上調整。
副交感神經釋放乙醯膽鹼及血清素，以往下調整，並降低能量的使用。

喚起狀態的週期變化

寶寶在一天當中，會經歷各種不同的喚起狀態。這是交感神經與副交感神經所扮演的角色，滿足能量支出的需求，之後則幫助身體復原，並補充能量。

睡眠是最低階的喚起狀態（請見本頁圖），睡眠所耗費的能量，僅是用來維持健康與療癒的基本功能。情緒滿溢爆發、承受不了，則是最耗費能量、能量需求最高的狀態。

哭鬧是寶寶承受不了的常見徵兆，但是有的孩子在神經系統受到過量刺激時，則會以退縮行為來拒絕外

間腦

父母親與孩子透過間腦的連結，經常進行溝通。

在刺激，使自己的反應變得遲鈍，做為防衛。這正是我們在梅蘭妮身上所見。無論是在天平的哪一端，神經系統都會有所動作，往上或往下調整喚起狀態，以達到平靜的中點。

間腦：寶寶的神奇溝通管道

如果就神經學上來說，嬰兒是「子宮外的胚胎」，那麼是什麼取代了臍帶，以及臍帶在調節過程中的角色？

想像有種藍芽或無線連結裝置，將照顧者與嬰兒的大腦連結起來，以達到調整喚起狀態的目的。這個溝通管道稱為間腦（interbrain），是由觸覺、眼神交流、聲音，以及最重要的，共享的情緒，所建立與維持的。間腦為了共同調控，鋪設了深層的神經、心理及感覺迴路，並且會隨著孩子成長而進化。

新生兒的大腦，尚未發展出喚起調控所需的神經及神經生理連結，間腦則適時提供了管道。這是大腦對大腦的直接連結，將嬰兒的大腦，與父母親擁有喚起調控能力的高階大腦，連結起來。

嬰兒內建的自我安撫反射能力有限。吸吮、自我分心（self-distraction）、迴避視線（轉移視線）及封閉自己，都屬於重要反射。嬰兒視其所受到的壓力承載，可能會持續關閉自己、躺在嬰兒床上發呆，或是反應過度、長時間哭泣，很難安靜下來。

由於嬰兒的大腦還很原始，所以不令人意外的，他們會在不同的喚起狀態，沒有規則的換來換去，而無法靠自己順利的上下調整。如果只讓他們自己處理，就會很容易卡住。他們需要我們的幫助，在不同喚起狀態間獲得平順的轉換，在遊戲或進食時間，幫他們「往上調整」，在休息時刻，幫他們「往下調整」。

高階大腦調整寶寶，責任重大

高階大腦（且讓我們稱之為媽咪或爹地）解讀嬰兒的信號，像是臉部表情、身體姿勢、動作、聲音，然後據此調整自己的行為，視情況往上或往下調整嬰兒。這些情況或是動態如餵食、遊戲、了解世界，或是靜態如休息及就寢。如同新生兒會本能的尋找乳頭，嬰兒也天生就會準備好協助我們與他們產生連結，提供他們還無法自行處理的內在調整。

寶寶天生就有好奇心，但所有新生兒都需要有人推他一把，學著與照顧者互動，每一個照顧者也需要學習如何吸引嬰兒的注意。

如果到了餵食或社交時間，寶寶無精打采、沒有反應，媽媽或爸爸可能需要面帶更多微笑、發出更多聲音、做出更多種動作，來往上調整寶寶。如果是就寢時間，寶寶還在高度喚起狀態，動來動去，或者眼睛睜得圓圓亮亮，爸媽就需要往下調整寶寶。有些由來已久的慣用做法，譬如洗澡、唱搖籃曲、讀故事書或是輕輕搖晃寶寶，都會很有幫助。挑戰在於，哪些做法會令寶寶感到精力充沛或心情放鬆，哪些做法又會使他覺得不舒服或耗盡精力，每個寶寶都不一樣。

通常，寶寶會被你語氣裡的情緒變化、溫柔的撫觸、明亮的微笑及炯炯有神的眼睛所吸引。來自於你或照顧者的種種訊號，會提高寶寶的喚起程度，以產生足夠能量，參與重要的社會互動。

在互動過程中，寶寶會發展個人情緒，學習臉部表情、語氣、姿勢及話語的意義。

同樣的，你舒緩的聲音或擁抱，也能在孩子承受不了、需要時間恢復時，幫助孩子往下調整。

身為父母親，你會以回應自己需求的方式，來回應寶寶的需求。事實上，當你回應寶寶的需求時，你也正在回應自己的需求，因為間腦是雙向運作的。照顧者的反應是生理的，而不只是認知的。你不只是意識到寶寶的感覺，還感同身受。當寶寶痛苦時，你也會很難過；寶寶生氣或害怕時，你也一樣生氣或害怕；在讓寶寶平靜下來的同時，你也正是在讓自己平靜下來。

親密的互動，是寶寶大腦成熟的關鍵

「左腦／右腦理論」認為，大腦左右半球負責不同的思考模式。左腦與邏輯、理性、客觀思考有關，尤其是語言。右腦跟直覺、主觀思考有關，主觀思考（通常是由潛意識撿選）的線索，來自於他人的身體語言、臉部表情、語氣、姿勢及動作。即使左右腦的整合程度，要比我們想的來得更高，「左腦／右腦」的模式仍是有用的，可做為一種簡略的二分法，來表示自我調整想探索的不同種溝通模式。

剛開始時，間腦是父母與寶寶「右腦對右腦」的溝通管道，透過觸覺、聲音、外貌，甚至氣味來傳遞訊息。在寶寶一歲之後，左腦開始加入，因為語言出現了。接下來的幾年內，語言就會成為孩子的主要溝通模式，但先前的右腦溝通模式，仍會持續在背地裡運作，影響我們對他人的感覺與反應。

親密的交流，有助於設定孩子喚起狀態的基準線，或者說是大腦的「空轉速率」。拿引擎來說，空轉速率產生的力量，剛好足夠維持核心及輔助系統平順運轉。不同的引擎，空轉速率不一樣；沒有單一標準的空轉速率，而且經常必須視不同環境因素來調整，譬如會因應季節轉變的溫度而改變，或者也會跟引擎本身內部獨一無二的機械應力有關。

你家寶寶的「空轉速率」必須產生足夠力量，免疫系統與生長所需的代謝及細胞復原過程，才得以進行。無論如何，基準線會因長時間承受壓力，而往上調整，包括了生理壓力，譬如飢餓、缺乏睡眠或者生理上的敏感，以及如恐懼、憤怒或負面經驗的情緒壓力。孩子受到的壓力愈大，喚起狀態的基準線愈高，因此在「休息」時所耗費的能量會愈多，也就愈容易對壓力產生反應。對於基準線的提高，寶寶的回應方式各不相同。在持續的壓力之下，他們可能變得退縮或易怒，或者在這些反應之間切換，有時一轉眼就像變了個人似的。

寶寶在間腦中發展出的喚起程度基準線，是生理與經驗之間的互動結果，你對寶寶的回應及你們之間的關係，會有強大的影響力。然而，有些寶寶本身的體質，使他們的喚起狀態基準線比別人更容易升高，也更難平靜下來。

這就是梅蘭妮的狀況。

進一步分析小酒館寶寶的狀態

梅蘭妮的爸媽用新的眼光檢視居家環境，以及他們與梅蘭妮的活動與休閒模式。可以合理的假設，梅蘭妮天生敏感，加上長期睡眠不足、承受高度壓力，在在提高了她的喚起狀態基準線，使她更容易受到驚嚇，引發戰或逃反應。

這意味著，梅蘭妮即使是在睡覺時，呼吸及心跳速率都偏高，她的心臟也總是比正常嬰兒更辛苦工作。甚至於，一旦出現壓力，她的心臟會跳得更快，即使壓力結束，心跳速率還是持續偏高，這會反過來給原始腦訊號，繼續維持在高度警戒狀態。所有徵兆都指出，偏高狀態已成為她的空轉常態。

對梅蘭妮來說，不只是要往下調整很難，事實上，她也似乎不喜歡我們所謂的放鬆與冷靜。這可能是她習慣處在較高的喚起狀態所造成的，也可能是哺乳動物腦在說「我不想放鬆警戒」，或者「這感覺很陌生，令人害怕」。

不幸的是，神經系統隨時隨地準備面對危險，即使毫無威脅時也一樣。長期處於壓力狀態，耗盡了梅蘭妮的能量。她消耗太多，也愈來愈難恢復。

簡單的改變，讓家庭戰場轉為甜美夢鄉

梅蘭妮整天不睡覺及容易受驚的模式，正是「高度喚起」的真實例子。為高度喚起寶寶減少壓力的自我調整策略，可適用於任何寶寶，做法是讓居家環境平靜舒適，盡可能像是安逸舒適的子宮。蕾秋及賽門全心全意致力於改善居家環境，包括我建議他們（兩個人都嘆了口氣），把生活空間變成「生活子宮」。

首先，他們關掉了電視。這家人一天到晚開著電視。晨間新聞經常出現戰場上的爆

炸聲，其他類型報導裡，則有憂心忡忡的語氣，還有播報員的緊張聲調。蕾秋是位平面藝術家，她告訴我，她喜歡在工作時開著電視當背景聲音。但是現在，她注意到在進廣告或電視上有警笛聲、怒吼聲，音量突然變大時，梅蘭妮都會有反應。一般家電，譬如吸塵器、食物調理機的聲音，或是門鈴響起，也會嚇到梅蘭妮。即使是氣味，也必須減少。松樹的味道，讓蕾秋及賽門想到他們在山裡健行的那段時光，似乎也讓梅蘭妮很困擾。

蕾秋及賽門一步步找出並移除會讓梅蘭妮不安的東西，幾個禮拜之內，梅蘭妮就開始一天睡十六個小時，包括每天早上跟下午，都能安穩小睡。

這並非意味著，每一個人都要把客廳變成「生活子宮」。每一個寶寶感到舒緩及不安的因素都不同。對蕾秋及賽門而言（對每一個父母都一樣），重點在於找出梅蘭妮何時受到驚嚇，又在何時受到過大的壓力，並且解讀出讓她高度喚起的跡象。

他們並沒有試圖控制梅蘭妮的睡眠問題，而是降低她受到的壓力，並繼續以平靜的方式與她互動，他們很快就發現，她變得不那麼容易受到驚嚇，也更容易平靜下來。事實證明，梅蘭妮不睡覺的狀況敲響了警鐘，幫助她的爸媽學習辨識她何時會過度喚起，並需要他們的協助，好讓她獲得平靜。

間腦的親密連結，可視為是爸媽幫孩子自我調整的主要教養工具。我們可以刻意使用之，以協助孩子在日常生活中調整喚起狀態，久而久之，他們便能學會自我調整。彼此共享的經驗與情感親密度，不只豐富了親子關係，還能加強孩子建立健康關係的能力，受益於社會參與。

自閉症女孩的驚人轉變

我開始認識到間腦的力量，是在葛林斯潘（Stanley Greenspan）*手下受訓時。他給我看一段他自己拍攝的影片，影片中有他跟一對父母，還有這對父母四歲大的自閉症女兒。影片一開始，小女孩漫無目標的跑來跑去，無視爸媽的存在及周遭環境。她隨手撿起一個玩具，把玩了一會兒放下來，又拿起另一個。這樣子玩了幾分鐘之後，影片中的葛林斯潘說，他想要嘗試來一點互動，那位母親的回應，在靈長類動物學家看來，會稱為是「恐懼的微笑」，她臉上的表情不是高興，而是焦慮。

此時，葛林斯潘關掉影片，要我揣測這個孩子的發展階段，以及她將來的人生展望。看這段影片時，我感到很難過，看到那位母親那麼想跟孩子有所連結，卻一無所獲，而爸爸從頭到尾都坐在沙發上，無論是身體或情感上都沒有參與，顯然他覺得整個過程令人難以承受。這樣的狀況看起來希望渺茫。我不得不給出悲觀的答案。這許多年來，我也跟我的學生重複同樣的練習，他們的回應跟我當年一樣，都很不看好。

然後，葛林斯潘再度播放影片，眼前的畫面令人難以置信，在他幫助那對父母調整行為之後，整個互動的動力幾乎立即改變。他們需要慢下來，讓聲音及動作變得柔和，並耐心等待女孩的回應。我看到那個孩子第一次意識到爸媽的存在，接著她完全陶醉在與爸爸媽媽的互動中。在玩躲貓貓遊戲時，她興致勃勃，甚至開始出聲說話。看到最感人的部分，我甚至流下眼淚。在影片快結束時，他們已經玩得很累，媽媽跟孩子都需要休息，她們倆互相擁抱、並親吻對方，達到一種完美的和諧。

母親與女兒互動的畫面，展現出間腦的力量。先前兩人的大腦沒有連結，突然之間，雙方進入同步連結，從彼此身上感受到深刻的喜悅，讓彼此得到平靜。而且這不只是連結，還是依附的開始，愛的曙光。許多年來，我一直在鑽研科學，就在這剎那，我明白了科學的深層意義。要清楚解釋間腦現象，科學尚力有未逮，但是葛林斯潘的研究，以及我們研究單位的發現，還有其他人的洞見，都在在揭顯間腦的各個面向，讓人們清楚看到間腦在喚起調控上扮演的核心角色。

＊譯注：一九四一－二〇一〇，小兒精神科醫師，曾長期擔任美國心理衛生研究院臨床嬰兒發展計劃暨心理衛生研究中心主任。

間腦是親子關係親密持久的繫繩

運用影像微觀分析這種精密的工具，科學家得以證明，當媽媽或爸爸露出充滿愛心的明顯笑容時，會讓嬰兒感到喜悅，並迅速補充能量。透過嬰兒的燦爛微笑，寶寶的正向反應立即回饋給爸媽，雙方就此處於一種「高度喚起的共享狀態」，彼此都變得更加振奮。

相反的狀況也會發生。當代最著名的心理學實驗之一，是傑出的發展心理學家卓尼克（Ed Tronick）研究媽媽的臉部表情如何影響寶寶的情緒狀態。在實驗中，媽媽先跟寶寶一起玩了幾分鐘，讓寶寶進入愉悅的喚起狀態。接著，媽媽接受指示，暫時將頭轉開之後，再面無表情轉回來，並且持續神情呆滯好幾分鐘。

在原始的實驗中，寶寶約八個月大，還不會講話，但已具有非常棒的溝通技巧。在每一對母子互動中，一開始寶寶對於媽媽「面無表情」，反應都是一樣的：他們擺出最可愛的微笑與動作，竭盡所能想把媽媽找回來，當媽媽還是一樣無動於衷時，寶寶變得愈來愈激動。

這些科學發現告訴我們，為何在生活中，間腦的力量如此強大。為何我們對他人的需要會如此強烈，而且這種需要不只是情感上的需要，也是神經生理上的需要。為何當孩子難過時，我們也感到痛苦不堪；為何在與孩子有所共鳴時，我們所經驗到的那種快樂，只發生在共鳴時刻。在這樣的時刻裡，我們及孩子的大腦都會釋放出令人「感覺良好」的神經激素，這種效果人生罕有。

當我們與孩子產生連結時，內在的喜悅讓我們成為完整的人。間腦不只提供了孩子最深層的需要，也滿足了我們的深層需要。

而間腦與臍帶不同，從不會有不需要的一天。當父母與嬰兒之間的依附關係是安穩的，間腦便永遠會是親子之間親密持久的繫繩，為他們帶來舒適、鼓舞及冷靜，以減輕壓力。間腦永遠會是親子關係間特別的存在，也會在許多方面，成為與他人建立親密關係的基礎。

在卓尼克的「面無表情」實驗中，母親一開始對寶寶的主動示意，缺乏回應，代表社會參與系統的根本斷裂。有些寶寶會變得退縮、冷漠，有的寶寶則變得氣憤、挑釁。當媽媽重新參與互動，寶寶很快就調整狀態。如果寶寶不是這樣，那就是反映出更深層問題的重要訊號。

社會參與不只是一種習得的適應策略，還會成為我們自我安撫的反射動作之一。

在大自然的設計裡，我們天生就會從他人身上汲取能量，並透過對方修復能量。我們不只是社會性動物，如有蹄類哺乳動物會一起進食。我們還是社會性人類，透過眼神、觸覺、對話及具有安慰效果的聲音，還有分享狩獵及採集的成果，彼此支持與保護對方。

未曾經歷過這種養育經驗的寶寶，不只在進食與睡眠上會出現問題，也會出現生理與心理發展緩慢、運動與溝通遲緩的狀況，甚至造成心血管或自體免疫疾病。這類寶寶處於高度警戒的警報狀態，一直在釋放腎上腺素及皮質醇。在神經系統上，這股推—拉的壓力，要求寶寶有所反應、然後復原，這會在細胞層次造成細微的變化，在孩子的生命早期，侵蝕孩子的健康與復原能力，或造成長期傷害。

自我調整可以幫助嬰兒、小孩及青少年冷靜下來，並減緩孩子燃燒儲備能量的速度，有機會得以復原。當他們過度疲累，爬蟲類腦的反應便是關閉自己，或是動用更多儲備能量。

這就是為什麼間腦對孩子或青少年的健康，具有絕對的重要性。大自然給予身為成人的我們更高階的大腦，讓爬蟲類腦冷靜下來，直到孩子或青少年可以為自己這麼做為止。

堅持自我控制，正是壓力最大來源

有些因素會影響到間腦的順暢運作，譬如重大疾病，會嚴重干擾父母親對間腦雙向心靈對話之密集要求的回應能力；身體不適，也會減少雙方建立連結的機會，至少會影響一對一互動。

父母的壓力升高，也會使間腦的調控能力受擾。當我跟許多家庭一起工作、還有在診所裡，我們都發現，一直堅持自我控制，會成為父母親壓力的最大來源。譬如有好多來我們診所的爸媽都會說，一旦寶寶哭，他們就「讓步」，這可能會損害孩子之後的自我控制能力，甚至擔心寶寶是用哭來控制爸媽。有這些想法的爸媽，數量多到不可思議。光是對孩子的行為不滿意，就會給爸媽帶來壓力。

我們之所以會關注間腦的力量，重點在於，要幫助孩子發展管理壓力的能力，而不是「教他自我控制」或是幫助他社會化。

自我控制是很社會化的概念，跟不同文化想看到人們表現出哪些行為有關，也跟社會期待孩子在何時何地展現自我控制有關。孩子需要知道界線在哪，事實上，缺乏界線本身就是個壓力源，也會產生自我調整的問題。自我控制乍看是社會運作成功的關鍵面向，但自我控制與自我調整並不一樣。

要了解自我調整及間腦，生物學是核心，因為小嬰兒或小小孩告訴我們他很不舒服的管道如此的少，許多生理上的挑戰，使得密切的雙向互動對他們來說，相當吃力。譬如父母眼中的光芒、一個擁抱，或溫柔的撫觸，是正向喚起的來源，但高度敏感的嬰兒或小孩卻往往負荷不了。或者，有的小孩雖不特別敏感，卻睡不夠、吃不飽，或是因其他活動累壞了，當你想與他互動，孩子就會不太想或是沒什麼反應。

父母親很容易會因此而自苦。自我調整有個重點，就是**父母要學習在問題發生時，放下個人的指責或苦惱，當個客觀的觀察者，觀察自己及寶寶的需求**。

當我們愈了解是什麼造成孩子的能量流失，就愈能調整與孩子之間的互動，以減少能量的流失，這點得以支持爸媽，也強化親子連結。

良好的關係，創造出冷靜及培養調整力的管道

我們與孩子之間的關係，正是我們與孩子一同改變與成長的環境。這一點對於今日的兒童發展科學研究來說，十分重要。神經造影及精細的心理生理技術，再加上對寶寶及父母之間互動的實況研究，大幅推進了現代人對親子關係獨特力量的了解。

再次強調，對自我調整來說最重要的是，**孩子要發展出自我調整的能力，必須先接受調整。調整孩子與控制孩子，是兩碼子事。**而且，自我調整關心的是管理孩子的喚起狀態，直到孩子能自我管理為止。當你溫柔搖動孩子，讓孩子平靜下來；唱歌幫助孩子入睡；或是當孩子需要提升能量時，跟他玩遊戲，你都是在幫助孩子做自我調整。

在一次公開演講後，有名聽眾是汽車技師，他來找我說：「所以，這有點像是把孩子的行為，看成是了解引擎狀況的指標。」我喜歡這個比喻，自此之後，我便在與父母、老師及孩子工作時，運用這個說法，每個人都聽得懂。

引擎比喻，能幫助我們把孩子的問題行為，視為是引擎因某種原因過熱了。長期煩躁不安的嬰兒、無法冷靜下來的小孩、經常焦慮的青少年，全都是引擎過度運作的指標。其他指標還包括注意力問題，或是不良的學習習慣、過度的情緒反應、憤怒、攻擊性、差勁的社交技巧。由於人類生來就有個體差異，所以首先我們需要學習辨識出不同孩童的引擎指標為何，才能判斷該如何採取行動，也就是**到底這種做法在此時此刻，是否對這個孩子能產生效用。**

所以，孩子內在的引擎是如何運作的呢？

04

自我調整的五大領域模型

壓力的來源錯綜複雜，但絕大多數可歸到生理、情緒、認知、社交、利社會五個類別。與其尋找單一壓力來源，當今之務在於，解開困住孩子的壓力網。

強納森剛滿五歲，他媽媽南茜來電時，他才剛進幼兒園一個月。她說，強納森又被叫到園長辦公室了。這是典型的一天，糟糕、可怕、慘烈。她到幼兒園時，發現強納森坐在學校辦公室裡，神情痛苦、淚流滿面、焦慮不已。

他的老師向家長解釋，強納森在整個集會過程中都在抱怨，當時學校樂團正在演奏。後來他又在衝回教室的路上，絆倒一個同學。到了教室後，又拒絕參與任何班級活動。在點心時間，他不吃自己的點心，卻拿走其他同學的點心，彷彿這樣很好玩。然後，當老師請每一個人放下外套去外面玩，他拒絕了。他變得好鬥，撞到桌角之後，又痛得哀哀叫。當老師試著跟他溝通，他轉過頭去，不肯聽她講的任何一句話。老師只好把他送到園長辦公室，而這已經不是第一次。

接到電話後不久，我去學校探望強納森。我從沒看過一個孩子這麼容易受到驚嚇。走廊上有人打了個噴嚏，他幾乎快跳了起來，就連非常細微的聲音，他都有反應，令我想起我養的一隻貓。

南茜告訴我，強納森似乎比其他小孩對噪音更敏感。當他收到生日宴會的邀請，她得拖著他去，但每到了宴會場合，他就會要求回家。他只不過是個喜歡安靜的男孩。媽媽希望上幼兒園會讓他快樂一點，但是強納森早上害怕上學，南茜也害怕讓他去，她知道他在那裡會過得很悲慘。

除了超敏銳的聽覺之外，還有其他狀況。強納森身體裡的生理感覺嚇壞了他，譬如，自己的心跳聲。情緒問題也令他難以處理。當他生氣或是悲傷時，他總是處在油門踩到底的狀態，沒有任何調適能力。社交上的互動與需求讓他發慌。所以第一步，是對他的壓力來源做全方位的修復。

要針對讓強納森感到壓力的事項逐一列表，然後一一處理，是不可能的。對強納森來說，也是對所有小孩來說，在自我調整上的困難跟乘數效應有關，也就是說某項壓力，譬如吵雜的集會，會使他對其他壓力源更加敏感。讓他身處擁擠的房間，他會對噪音跟光線更加敏感；當他感到沮喪，他的痛閾似乎就直線下降，一點點痛都會讓他不斷哀號。在教室裡，刺激一個接著一個來，他立刻崩潰。

對每個人來說，乘數效應都是真實的，對孩子來說更是如此，他們才剛來到這個世界不久，才剛開始體驗生命經驗的高低起伏。

我們的研究團隊在開始與學校系統合作、大規模實施自我調整時，驚訝的發現，許多孩子都在跟與壓力有關的議題奮鬥著。這並非是說，我們看到臨床上有問題的孩子數量出現爆炸性成長（儘管衛生統計的數字如此顯示），但我們的確看到這一代的孩子在生活裡壓力過大。年紀很小的孩子，就已經顯示出因壓力而造成的身心損耗徵兆，這會提高他們未來問題加劇的風險。

以下都是常見的場景：擔心即將到來的數學考試，老師發怒的聲音嚇壞孩子，跟朋友發生口角。孩子的邊緣系統處於高度警戒，大自然設計邊緣系統的作用，就是要發出警報。事實上，各個領域的警鐘都敲響了。壓力源與壓力警報迴圈卡住了，不斷重複，能量不斷流失。

學校跟體育活動的競爭性愈來愈強，社交媒體讓友誼與社交互動變得複雜，許多休息與恢復的機會，譬如，在戶外玩耍與真正的停機時間，從孩子的生活中消失了。**壓力的來源錯綜複雜，與其尋找單一的壓力源，像是一塊需要被移除的碎片，當今之務在於，**

解開困住孩子的壓力網。

壓力與自我調整的五個領域

壓力的來源有無限多種可能，但絕大多數可歸類到五個基本類別或是領域中。如此分類能幫忙你釐清方向，來辨識引發孩子行為的壓力類別，更有助於你深入辨識特定的壓力源及其源頭，然後找出方法降低壓力，並幫助孩子學會自我調整。

由於自我調整牽涉到眾多面向，是個「動態系統」，也就是說，發生在系統某部分的任何事情，都會影響到其他部分，並可能使整體漸趨穩定或遭到破壞。

這五個面向相互影響，創造出複雜且天衣無縫的整合系統。在此同時，每一個面向皆是獨立的能量消耗系統，能量與壓力總是此消彼長。

生理領域：這個領域包括了神經系統、燃燒及修復能量的生理過程。對於能量流出與流入的平衡，每個人大不相同，也得視情況而定。

情緒也有生理成分，會引發生化反應，尤其是激烈的情緒，無論是正向或負向，都會使內在能量提升或流失。

生理領域的壓力，包括不當飲食、睡眠或運動；動作及感覺動作的挑戰，像是覺得跑步很難，或沒用扶手就很難下樓的小孩；噪音、視覺、觸覺、嗅覺或其他刺激；汙染、過敏原及極端的冷熱溫度。

生理領域的壓力徵兆可包括：能量低落或嗜睡；過度好動；在活躍及安靜的活動之間轉換困難；慢性胃痛或頭痛；對噪音或聲音的敏感，包括你或老師的音量或語氣；坐硬椅子會不舒服，或是無法安靜坐上幾分鐘；肢體笨拙，或精細運動技巧有困難，如握筆；經常承受不了大多數人覺得正常的刺激或壓力。

許多孩子甚至不知道「平靜」的生理感受為何，或者不清楚不是在過動狀態下精力充沛的感覺是什麼。孩子需要我們幫助他們學習辨識出自己的生理狀態，當他們平靜、警覺、投入，或進入低能量／高壓力狀態時，各是什麼樣的身體感覺。還有，他們可以做些什麼來讓自己更舒服些。

情緒領域：在日常生活中，情緒關係重大。對孩子來說尤其如此，孩子們幾乎是從零開始了解及處理巨大的情緒（正向或負向的情緒都是），他們要學習，當情緒淹沒自己時如何面對，還要發展出有效表達情感的語言。不只如此，由於神經連結如此強大，使得情緒也會影響生理感覺的強度，譬如痛覺，這使得孩子對任何生理壓力源多少都會感到敏感。「天生氣質」（temperament）也會影響孩子的感受，雨天他會沮喪，或者因為想到有水坑可踩，而興高采烈。

這個領域的壓力，包括強烈的情緒、新鮮感或困惑的情緒，以及情緒糾葛。強烈的負面情緒，會使孩子與父母皆耗去可觀的能量。正向情緒傾向於令人振奮，儘管這類情緒有時候會令人不知所措。父母的任務，就是協助孩子辨識自己（或他人）情緒高漲的時候，並且學習在情緒爆發時，採取緩和情緒的步驟，以冷靜鎮定下來。

認知領域：認知領域包含思考與學習，以及如記憶、注意力、資訊處理、推理、問題解決及自我覺察等心智歷程。良好的思考需要良好的注意力。

在這領域，理想的自我調整，意味著你家小孩可以排除令他分心的事物；維持注意力，並且在必要的時候轉移注意力；可以有順序的思考；同時記住好幾項資訊；計畫及執行步驟，以達成目標。

認知領域的壓力源，包括：對內在及（或）外在刺激的覺察受限；孩子接收感官資訊（如視覺、聽覺或觸覺）有困難；孩子因看不出任何模式，而很難理解感官經驗；有太多資訊或太多步驟需要孩子處理；訊息的呈現太快或太慢；訊息太過抽象，或者預設了許多孩子還無法掌握的基本概念；需要孩子專心的時間超過他能力所及。

在認知領域壓力過大的徵兆，包括；注意力問題；學習困難；自我覺察不佳；在任務之間的轉換，或是面對挫折時有問題；以及動機低弱。通常孩子在認知領域遇到麻煩時，也會在生理及情緒領域感到壓力。注意到這一點，有助於釋放額外的壓力，把更多能量用在認知能力的運作上。

社交領域：社交領域跟能夠在社交場合採取適當行為與思維有關，包括了社會智能與人際關係技巧，以及發展並運用可被社會接受的行為。

在社交領域能適當自我調整的孩子，會注意到社交線索，包括如臉部表情或聲音語調等非語言線索，了解線索，並做出恰當回應；可以與人對話，有來有往；能「解決」溝通障礙；明白情緒如何影響他人行為。

社交領域的壓力源包括：狀況不明或要求甚多的社交環境；人際之間的衝突；暴力行為的受害者，或親眼目睹暴力行為；因不明白自己的行為與言語對他人產生的衝擊，所造成的社會衝突。有許多家長，在發現自己對孩子的社交生活與友誼所持有的期望、意見或關心，會給孩子增加壓力時，都感到相當驚訝。

社交領域的壓力徵兆，包括：交友或維持友誼有困擾；參與團體活動或對話有困難；無論小孩或大人，在理解社交線索上有困難；遭人排斥或不敢參與社交活動；在社交上攻擊或恐嚇他人；受到霸凌或欺負別人。

利社會領域：利社會領域包括同理心的品質、無私、內在標準及價值、集體的參與和行為，以及社會責任，還有將他人的需求或更高的目的，置於個人之前。

在利社會領域可適當自我調整的孩子，有能力從「以我為中心」，平順過渡到「以我們為中心」。他能夠與眾人連結，解讀他們的線索，辨識出他們的需求，在必要時刻，延宕個人慾望的滿足，以考慮他人的需要，據以採取行動。在諸如班級或社團的集體環境中，對於團體動力的覺察，能夠妥協與合作、做出貢獻、學習與受益，也是在利社會領域中的成功跡象。利社會領域還包含了靈性、美學、人文主義與智力的發展。

利社會領域的壓力源，包括：必須面對他人的強烈情緒、被要求以他人為先、個人與同儕價值之間的緊張、道德模糊性與罪惡感。在利社會領域，孩子所需處理的壓力上升飛快。現在，我們要關心的不只是攻擊孩子神經系統的壓力，還有影響孩子周遭的壓力，甚至是孩子所屬團體正在掙扎面對的壓力。孩子需要幫助團體，而不光只是自己保持冷靜與投入。

利社會領域的壓力跡象，通常與社會領域重疊，始於缺乏同理心，很顯然是身處於以團體為基礎的社會情境中，孩子在團體中感到焦慮、被排斥、孤立，因團體中某些主導人物而不知所措，或者受到觀念衝擊，違反了孩子自身的道德或行為標準。

常見問題行為中的各種壓力

這五大領域各自代表一個潛在的壓力領域。「潛在的」正是重點所在。某件事會成為壓力，與其對我們造成影響的方式及我們的回應方式有關。在各個領域，能量耗盡與壓力升高的常見行為跡象，包括：容易抱怨、不專心、退縮、狂躁、不安、具攻擊性，或是個性倔強。有時候，可以清楚看出孩子的行為跟某個領域的壓力有關，一旦你找對某片拼圖的位置，其他部分的圖像就明顯可見。第一片拼圖往往藏在很顯眼的位置，正如達米安一家人的經歷。

達米安的故事：感恩節晚餐災難

對達米安的爸媽來說，感恩節晚餐是壓垮駱駝的最後一根稻草。

達米安的祖父母到家裡聚餐，當每一個人都坐到桌前時，十五歲的達米安突然跑回房間。

他經常是一下課回到家，就直接進自己房間，然後拒絕跟家人一起用餐。他的爸媽已經習慣把晚餐送到房間，讓他邊打電腦邊吃，大家早已放棄跟他講道理，也不敢期望全家人一起用餐，他們什麼都不敢想。

明明想吃牛排，卻點了漢堡

達米安的爸媽帶著他來我們機構。臨床心理師尤妮絲・李（Eunice Lee）先跟他們聊前一天晚上做了些什麼。他們去一間餐廳吃晚飯，當尤妮絲問他們都吃了些什麼時，達米安回答他吃了漢堡，但他真正想吃的是牛排。

尤妮絲問他，為什麼不點牛排。

「你知道的，因為這個。」達米安用手勢比出拿刀叉切牛排的樣子。

「你是說你沒有點牛排，是因為你不想切肉。」

「是的。」

「為什麼必須切牛排這件事會讓你這麼困擾？」

「你知道的，因為刀叉敲到盤子會發出聲音。」

尤妮絲的腦子裡，有顆燈泡發亮了。

「就是這個原因，讓你從感恩節晚餐的餐桌旁逃走？」

「是啊，當然。」

「也就是讓你總是離開餐桌的原因？」

「我沒有總是離開餐桌。當媽媽做三明治，或用手抓就能吃的食物時，我就會留下。」

達米安罹患了一種叫「恐音症」（misophonia）的疾病，即使是很平常的聲音，也會讓他痛苦萬分。很多時候，他會因刀叉的聲音感到難受，但也可能會是其他細微的聲音，如某人咀嚼、嘆氣、喝東西發出的聲音。

我們尚未全盤了解恐音症的神經生物學，只知道這種病症結合了聽覺過敏、生理及情緒的喚起、社會壓力以及過往的經驗，使得日常的聲音變成極端的壓力源。壓力反應則從激動不已、高度焦慮，到嚴重的戰或逃反應。

孩子不是愛搗蛋

但是，達米安為什麼不乾脆告訴爸媽，刀叉的聲音讓他很困擾呢？當我們問到這個問題時，他回答：「我有啊，我說過很多遍了。」在他的心裡，他覺得自己跟爸媽講過，但他其實一個字也沒提過。

在孩子受到過大壓力時，經常會透過身體及行動來告訴大人，我們若是沒有及時回應，他們就會盡可能自己處理。

任何事絕對都可能成為壓力源。但是對孩子來說，當某件事已對他們造成壓力，身邊的成人卻不這麼認為時，他們尤其感到困擾。很常見到的情形是，老師或教練把孩子的壓力行為，當成是問題行為來回應，彷彿孩子是在「搗蛋」或者「故意」激怒他們。

孩子受到壓力時，會表現出各式各樣的行為，成人經常以為孩子是故意惹麻煩。有恐音症的成人，經常被貼上「神經質」的標籤，因為困擾他們的聲音，並未影響到他人。孩子則是會被貼上「難以管教」的標籤。

我很在意有許多孩子被貼上「愛跟人作對」的標籤，但事實上那只是防衛行為。有的孩子堅持己見，有的則淚流滿面，有的趕快逃走，有的是突然爆發。或者，以上情況會接續發生。這種情況通常都有壓力源，而且往往不只一個。

關照整個系統，而非單一壓力源

後來，達米安的故事又讓我想了更多。

在這次療程後不久，我太太跟我帶著孩子去同一間連鎖餐廳。我的孩子是在鄉間長大，他們覺得餐廳的噪音已超過忍受程度，很想趕快逃走。我們全都想離開。

我發現自己想起了達米安。那天晚上，他整個進餐過程都坐在桌旁，是如何辦到的？吃早餐時，他並未出現同樣問題；他也不是每一餐都有相同反應。什麼因素能夠解釋某些情況下，他對聲音的敏感到了難以忍受的地步，但是其他狀況他卻可以承受？

孩子處理問題的能力，跟五個領域裡的因素都有關。就達米安的例子來說，他來見我們的前一晚，之所以沒有逃離餐廳，可能是因為進入大城市是趟冒險，到餐廳用餐又很有趣，這兩者都會讓他心情很好，良好的生理狀態可能對此有幫助。

再者，那天他獲准請假一天來多倫多見我們。這趟旅行或許可以讓他暫時放鬆，離開吵雜的學校環境。學校環境可能使他能量透支了。

以達米安的狀況，解決方式並非要那家人改用手抓食物吃，而是要透過五個領域處理好幾個壓力源，並且開始了解，這些壓力源如何彼此影響。當我們在做自我調整時，我們要看的是整個系統，而不只是最明顯的壓力源。

乘數效應：五大領域的壓力循環

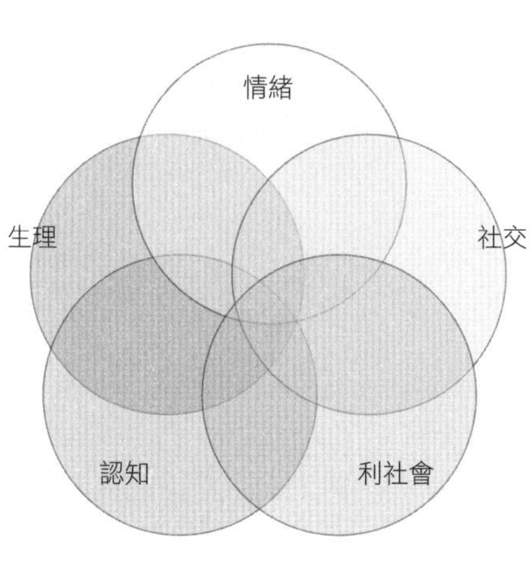

適應壓力，還是被壓力壓垮？
五個領域×乘數效應＝壓力循環

當五歲的強納森從樂團演奏中逃走時，他的每一個領域都響起了戰或逃警報：他對幼兒園同學很粗魯，對老師很不客氣，對撞到桌子的痛更加敏感，最後他終於受不了，整個人崩潰了，去園長辦公室的路上一路哭個不停。而對達米安來說，刀叉的聲音是促使他逃走的觸媒。突然間，壓力由各個領域一一襲來，並互相增強。

在接觸過許多家庭後，我們發展出一套有效的工具，那就是壓力循環的概念（參見下頁圖）。

當孩子在任何一個領域累積的壓力過大

雙向的壓力循環

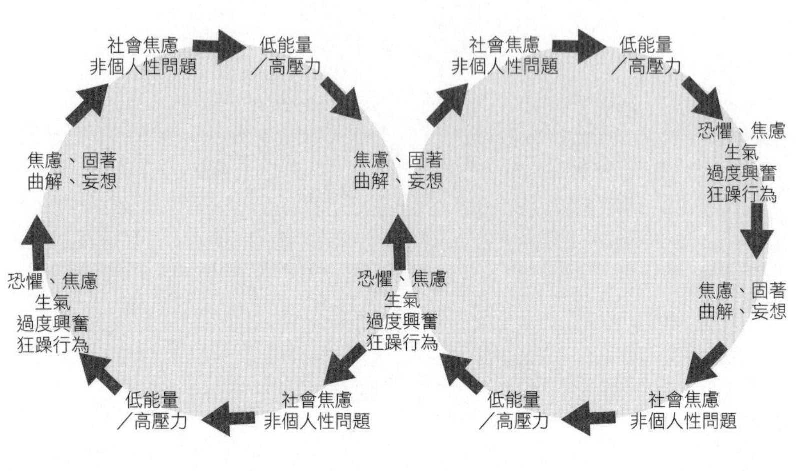

時，會引發過度喚起的循環，並逐步惡化，若沒有外在「煞車」系統的協助，情況很快就會失控。

任何領域的任何壓力，都能引發壓力循環，尤其孩子處在低能量／高壓力狀態時，最容易受到傷害。一旦壓力循環被引發，其他領域產生壓力反應的閾值，就會下降，這意味著孩子更容易對壓力做出反應，造成孩子喚起反應增多的問題數量，也會快速增加。自我調整最重要的一點是，**孩子愈是處於低能量／高壓力狀態，就愈容易在某個領域，甚至是所有領域，遇到困難。而當孩子在某個領域出現的問題愈大，整體的儲存能量就會消耗愈多。**

間腦親子互動產生了壓力循環

親子間的溝通，會升高彼此的喚起狀態

當以上情形發生時，要父母親繼續冷靜沉著，扮演所謂的「煞車」角色，非常困難。當情況愈演愈烈，孩子的行為或言語，也會造成大人的高度喚起。此時，不只是來自五個領域的壓力源，正在孩子身上彼此衝撞，家長的壓力源及過度喚起，也會透過間腦影響孩子。這正是為何當孩子受到壓力時，我們企圖幫忙他們的努力，經常會以爭執收場的原因。

如果爸媽跟孩子被困在不斷急速上升的壓力循環中，彼此的間腦就不再同步。間腦不再能協助調整孩子，調降他們的喚起狀態，反而是升高喚起狀態；雙方一再消耗能量，溝通停止，場面陷入大吼大叫、哭泣、威脅或互相指責當中。因此，我們在臨床上做的許多努力，都跟找出策略、打破壓力循環有關。有許多切入點可以打破高度喚起的循環，但是第一步總是一樣的：我們要讓孩子、還有自己，回歸能量／壓力的平衡。

問題來了，我們到底要如何做到？

猢猻樹下美好的一課：你能做的，就是耐心等待

關於打破壓力循環，我學到最強有力的一堂課，是在一趟澳洲之旅中。

米雪兒．史考特（Michelle Scott）是西澳大利亞負責兒童事務的專員，我隨著她在皮巴拉（Pilbara）地區，了解她任職的行政單位，為形形色色的兒童機構所做的事。

皮巴拉幅員廣大，從印度洋邊寬闊的海灘，一直延伸到內陸令人嘆為觀止的岩層與峽谷。據稱，大約四萬到五萬年前，原住民族第一個落腳的地方就是此處，至今，那無與倫比的大自然景色依舊壯觀。

我抵達當地的頭一晚，在一場大型晚宴上，我安排要與史丹見面，他是一位原住民醫者，協助對象為問題青少年。隔天，我們在盧本（Roeburne）的一間學校碰面。盧本是人口不滿一千的小鎮，原住民兒童在這個社群中顯然生活艱辛。

史丹強壯如熊，年約六十，氣質沉靜慈悲。他談了好一會兒他協助過的孩子，這些

孩子或是試圖傷害自己，或是傷害他人，或者正在戒除某種癮頭（通常是酒精或嗅吸汽油）。他邀請我去看他的診所，我們遂沿著哈定河（Harding River）走了二十分鐘，穿越有著豐富鳥類與野生動物的區域。

他所謂的「診所」，根本就不是棟建築物，而是一塊空地，四周種滿了古老的猢猻樹。這種樹並不很高大，高約六公尺，可是樹圍卻非常巨大，至少要十個成人手牽手才能合抱一圈。這樣的景象不只是遙遠，而且陌生，彷彿我們是第一批踏進此地的人類。這裡並不安靜，反而充滿了笑翠鳥、蒼鷺及其他鳥類的叫聲。然而，這裡卻是我所見過最平和的地方。

史丹跟我並肩坐在樹下，當時花正盛開，我們待在那兒，沒有交談，沐浴在寧靜中，渾然不覺時間流逝。好一會兒之後，我發現自己正想著我們從沒嘗試過的新策略，我感到煥然一新，腦子警醒，並渴望好好思索新湧出的點子，我很少在度過漫長的一天之後，還有這般精力。

當我跟史丹分享之後，他告訴我，這就是他跟那些封閉自我或激動焦慮的青少年一起做的事。**他只是耐心等候著，直到他們想開口說話。**最後，他們都會敞開自我，雖然有些人可能需要等上一整天。然後，史丹跟孩子會輕聲聊天，了解正困擾孩子的是什麼問題，並一起探索面對人生的方法。

這裡的樹，壽命可能超過一千五百年，我不禁想，有多少以千計數的年輕人曾來過這裡，並在大樹與睿智長者的平靜陪伴下，找到這樣的沉著鎮定。

多麼棒的診所。多麼不同凡響的一課。

當孩子深陷困擾中時，我們幾乎反射性的試圖找出解決原因。問題是，當孩子處於高度喚起狀態，他腦中用來找出原因的系統，已經離線。他真的無法聽進去你說的話。首要之務，就是讓系統重新上線運作。

每一個孩子都需要像這樣肩並肩坐在猢猻樹下的經驗。這是間腦第一個、也是最重要的功能：給予孩子安全可靠的感覺，讓他們能補充能量。

強納森需要在學校感到平靜。達米安會在用餐時間逃走，是因為他想找到能讓他感覺平和安全的地方。這就是打破壓力循環的做法。只有打破壓力循環，你才能開始自我調整。調整你自己，也調整你的孩子。

第二部

5大領域，培養孩子的調整力

05

生理領域：進食、遊戲、睡眠問題

孩子要培養自我調整力，先要有足夠的能量。基本的營養、運動、睡眠等生理因素，是能量及恢復力的核心來源。一旦孩子缺乏能量，就容易受到傷害。

一跨入生理領域的大門，你便徹底改變了看待孩子，以及看待你自己行為的方式。這樣的改變，是從「由上而下」的行為管理觀點（認為父母親有主控權，而孩子必須服從），轉變成自我調整「肩並肩」的了解行為觀點。後者的重點在於，與其機械式的試圖控制或減少「問題」行為，不如先暫停腳步，想像這些行為是否是低度或高度喚起的徵兆。若真是如此，就去找出壓力源，並減少壓力。也就是說，在爸媽與孩子之間的溝通是雙向的，正如爸媽與孩子會共享同樣的喚起狀態。

瑪麗與蘿絲母女，是了解這一點的完美例子。

瑪麗與蘿絲母女的故事：是管教出了問題嗎？

當瑪麗述說她跟十歲女兒之間的問題時，她拚命忍住淚水。

要蘿絲聽進道理很難，無論瑪麗跟女兒說什麼，兩人最後都會以「尖叫」收場。女兒會氣得跑掉，並且一氣就是好幾個小時。有時兩人是為了小事起爭執，有時則是重要的事，不管怎樣，兩人生起氣來，只會讓事情變得更糟。瑪麗甚至試著寫信給蘿絲，向女兒長篇大論解釋她為何會那樣操心，隨後卻發現信被撕碎，丟在廚房桌上。

導致母女倆一觸即發的問題，可列出一長串的抱怨清單，但絕大部分都是小事。「我叫她吃飯時，她都不理我，」瑪麗說：「終於姍姍來遲時，她也不肯吃。她也不肯穿我幫她準備的衣服。但是最大的爭執總是發生在上床前，而且通常都不是什麼重要的事。」就在幾天前，女兒才對她尖叫，說瑪麗清理了她的房間，搬動她的東西。但瑪麗那天根本沒進去過女兒房間。

我問瑪麗，她怎麼回應。「我告訴她，我不能容忍她這樣。如果她不停止對我大吼大叫，她就一個禮拜不能用 iPad。後來我又改成一個月不能用！結果，她還是不肯閉嘴，我就說，我會把她的 iPad 拿回店裡退錢。」當我問瑪麗，她隔天是否真的有拿走 iPad，她看著我，怯怯的說：「嗯，她後來好多了，我就算了。」

問題出在瑪麗沒有說到做到嗎？蘿絲會得寸進尺，是因為她知道媽媽只是隨口說說嗎？空口說白話的威脅，改變不了蘿絲的行為。再怎麼哄騙與懇求也沒用，不管用哪一種處罰或獎勵，似乎都沒能見效，她們的關係陷入僵局。

自我調整的第一個問題，讓我們不禁要問，這是否是管教的問題？我們正在面對的是偏差行為，還是壓力行為？這兩者的區分，絕對至關重要。

偏差行為不同於壓力行為

偏差行為的概念，根本上與意志、選擇及意識有關。這個概念假定孩子故意選擇這麼做。孩子可以有不同的做法，甚至也知道自己應該要採取不同的做法。

而壓力行為則跟生理有關。**當壓力行為發生時，孩子並非刻意選擇這麼做，在理智上也不清楚自己在做什麼。**他攻擊別人（爆粗口罵人，或是動手動腳），或是逃走（真的跑走，或情感上的疏離），是因為他的神經系統感覺受到威脅，進入戰或逃反應。

有些簡單方法，可以推測何時我們所面對的是偏差行為。你可以問孩子為什麼他會這麼做，如果他能提出任何解釋（不管他怎麼掰），很有可能他知道自己在做什麼。或者，你可以請孩子正經的對你說，他不知道自己這麼做是錯的。壓力行為很快就能看出來。如果你看到孩子臉上充滿困惑、恐懼、氣憤，或是非常困擾，如果孩子轉開眼神、或是很難正視你，那經常是高度喚起及壓力行為的徵兆。

偏差行為和壓力行為的區別之所以如此重要，原因在於，當你把用來矯正行為的獎懲技巧應用在壓力行為上，只會讓事情變得更糟，並增加孩子負擔。而且，你會錯失重要機會，幫助孩子發展對自我調整來說非常重要的自我覺察能力。

運動衣事件的啟示：從管教控制，轉為包容孩子

瑪麗所描述的種種，很明顯是壓力行為。蘿絲對於合理的請求充耳不聞，變得極不理性，事後又記不得爭執當下，自己說過或做過什麼，這一切都像是戰或逃反應。所以，與

其嘗試要蘿絲在這些時候順從聽話，瑪麗需要降低女兒的喚起狀態，並且尋找令蘿絲崩潰的原因。

我的建議是，下一回蘿絲又變得難纏時，瑪麗要避免做出任何管教她的威脅言行，尤其是，**別跟孩子講道理**。我告訴她，別嘗試解釋任何道理，而要從自我調整的基本做法開始，做幾次深呼吸，放鬆脖子跟肩膀。把燈關上，坐到床旁邊，或是躺在蘿絲身邊，溫柔撫摸她的頭髮、手掌、前臂或是背部。如果想說任何話，只要告訴她，你有多麼愛她。隔一天，當女兒冷靜下來，可以跟她討論任何前一晚想對她說的話。

幾天之後，瑪麗有了機會嘗試這個做法。蘿絲要媽媽幫她買跟班上其他女生一模一樣的紅色運動衫，但是當瑪麗去到店裡，他們沒有蘿絲的尺寸，所以瑪麗買了一樣可愛的灰色運動衫。蘿絲下課回家之後，瑪麗把衣服拿給她，蘿絲看到時並沒有表示意見。幾個小時之後，當她準備上床睡覺，她開始對瑪麗大吼大叫：「你怎麼可以買灰色運動衫給我！真是醜斃了。我不會穿這件衣服。每次我要什麼，你都做不到。我恨你！」

瑪麗差點抓狂。但是這一次，她先緩緩做了幾次腹部深呼吸。

這一回，她沒有向瑪麗解釋為什麼會買灰色運動衫，也完全沒跟她講道理，瑪麗溫柔的說，她們可以明天再來討論。她沒有火上加油，而是離開房間，讓自己冷靜下來，再回頭安撫蘿絲。當她更加冷靜之後，她躺在蘿絲身邊，用蘿絲喜歡的方式按摩她的背部。不到幾分鐘，蘿絲開始冷靜下來，就在她快進入夢鄉時，她擁抱瑪麗，喃喃說道：「媽咪，我愛你。」隔天一早，瑪麗正打算跟蘿絲說，今天下課後她們可以去另外一間店問看看，只見蘿絲下樓來時，身上穿的正是那件新買的灰色運動衫。

威脅就是威脅，不分敵我

若有一台掃描大腦的機器，能在瑪麗與蘿絲睡前爭吵時連結上，我們會在前額葉皮質與邊緣系統間，大腦某個很細小的部位，看到引人注目的現象。那正是前扣帶迴皮質，它的喙側連結到前額葉，腹側連結到邊緣系統。

我們曾在神經實驗室裡，掃描孩子在高度喚起狀態下的大腦，前扣帶迴皮質連結邊緣系統那一邊（腹側），會像聖誕樹一般亮起，而連結前額葉皮質那一邊（喙側），則相當壓抑。這意味著，占主導位置的是邊緣系統，而與推理、理性有關的前額葉皮質，則對孩子的行為毫無置喙餘地。

這就是我們在蘿絲身上看到的情形。而且，我們也會在瑪麗的前扣帶迴皮質，看到一模一樣的狀況。出現這種情形的原因，跟我們稱之為「邊緣系統的共鳴現象」有關。邊緣系統的設計，原本就是在回應他人已喚起的邊緣系統，無論是正向或負向的回應。這正是為何笑聲具有傳染力，相反的，若有人對我們生氣大吼，我們也會想立刻吼回去，這也是我們看到路霸，或是簡訊上的爭執時，會情緒高漲的原因。

邊緣系統不會細心區分所感知的威脅來源，是否是我們深愛的女兒；對它來說，威脅就是威脅。對瑪麗來說，邊緣系統的反應所引發的負面情緒，如排山倒海而來。她感覺自己受到拒絕、不被接受、不被愛，還有非常火大。

過去，在爭執當頭，瑪麗覺得自己必須回應女兒。現在，她明白在這些時候，女兒的前額葉皮質，連同她清晰思考、理性回應的能力，以及考慮怎麼說話與行動的意識，全處於待命狀態。

當瑪麗自己先冷靜下來，便能抵消邊緣系統的共鳴效應，讓自己的前額葉皮質重新上線運作，在更好的狀態下協助女兒。瑪麗成功打破間腦的壓力循環。而當蘿絲的邊緣系統冷靜下來，不只能安然入睡，還能體驗到自己深愛著媽媽，並表達出來。

當邊緣系統平靜下來，社會參與的能力就會恢復。蘿絲迫切需要媽媽的安撫，她終於可以接受瑪麗了。在平靜的狀態下，她的邊緣系統從受役於原始的負面情緒，到能召喚嬰兒時期媽咪充滿愛心、保護著她的溫暖記憶，整個人放鬆下來，平靜進入夢鄉。

瑪麗感到她跟蘿絲之間的互動需要改變，尤其是再過幾年，蘿絲就要進入青春期。她知道自己過去的做法都是適得其反。**學習如何讓女兒平靜下來、進入夢鄉，不是全部的答案，而是答案的開端。**

由於生理領域是各個領域的核心，也由於弄懂神經系統的內在運作，乍看複雜，令人望之卻步，或者不知從何著手，因此這套自我調整方法，便是設計來幫助你循序漸進，走過與瑪麗及蘿絲母女相同的發現之旅。

我們很少在當下就想到孩子真正的壓力源，通常需要透過所謂的「假設測試」（hypothesis testing），不斷試誤。這套方法可應用到新生兒身上，也可以讓身為爸媽的你，用來做自我調整的偵查工作。

第一步：解讀訊號，重新建構行為

瑪麗與我在運動衣事件之後晤談，她坦承當女兒對她發飆時，她很難不吼回去。以前的瑪麗會認為，最需要的是控制孩子行為的新技巧，然而她需要的其實是能夠解讀孩子的訊號，並重塑觀點，建構新行為。

女兒的行為，是經由右腦將她受到的困擾，未經過濾就表達出來。而瑪麗能夠很快使女兒鎮定下來，是因為她也透過右腦回應女兒。藉由調暗燈光、輕聲細語、撫摸女兒的頭髮及溫柔按摩背部，瑪麗送出訊息，幫助女兒敞開用來溝通的那部分大腦，這個部位會直接連結到與情緒喚起有關的神經系統。

而且瑪麗所重建的溝通，不只是她對蘿絲的溝通，她也在重建蘿絲與她的溝通。這正是自我調整是「肩並肩」或「雙向」的原因。現在，瑪麗的右腦可以完全接收到蘿絲的右腦所送出的訊息：「**我好害怕，我好難過，我不知道怎麼停下來。**」然後，瑪麗傳回給女兒的訊息是：「**我在這裡，我會保護你，我愛你。**」

當瑪麗開始做自我調整，經驗到的不只是認知上的改變。認知上的改變是審時度勢，明白自己面對的是壓力行為、而非偏差行為，並且據以調整自己身為父母的行為。而瑪麗經驗到的改變是，傾聽在「邊緣系統對邊緣系統」的衝突中，被阻擋掉的右腦真正訊息。當寶寶很不舒服時，寶寶一開始的行為帶給你的感受，會強過於你對他的理解。而且，邊緣系統處在高度喚起狀態時，會關掉許多功能，其中正包括了對感覺經驗的細緻覺察。這通常是第一件發生的事。

然而，絕對也有認知上的改變。瑪麗在女兒十歲時所看到的狀況，可以回溯到蘿絲的嬰兒時期，她在喚起狀態上的問題，當時就已浮現。瑪麗解釋道，當蘿絲三週大時，每天晚上一到六點鐘，她就變得很難搞，而且往往持續兩個小時以上，模式規律到甚至可用來幫手錶對時。蘿絲十歲時在睡前的掙扎行為，跟她在嬰兒時難以入睡的狀況，有驚人的相似度。

蘿絲的喚起調控問題，從嬰兒時就顯而易見，但是到了她十歲時，卻被認為很難搞，或是行為不端。我們都知道嬰兒不會選擇這麼做，她的行為也肯定不是故意的，可是隨著孩子長大，我們卻變得不能容忍這些行為。

除了疲倦之外，有很多原因會讓孩子「很難搞」。這正是為什麼我們會去確認嬰兒尿布是不是乾的、感覺舒不舒適，是不是餓了，還是害怕。像蘿絲這樣的寶寶，我們則會思考她是不是有感覺上的問題。在我接觸各式各樣的孩子中，我看到感覺出現問題的孩子與青少年人數，有顯著增加的趨勢，而且往往受到忽略。他們不只是對不同種刺激「敏感」，還被種種刺激榨乾能量，像是光線、聲音、嗅覺與觸覺。

蘿絲在嬰兒時期，就對噪音、氣味及粗糙的質地非常敏感。現在，十歲大的蘿絲，只要爸媽想帶她上餐館，她就會抗議，就算進了餐廳，她也會抱怨噪音跟氣味，而且依舊對身上穿的衣服挑剔不已，她對織品的觸感尤其敏感。

在自我調整的脈絡下，瑪麗可以從全新角度來解讀生理不適與敏感的線索，並且有新的觀點可以了解女兒受到壓力的爆發行為。在瑪麗重新建構蘿絲的行為時，有個關鍵是認知到，其實問題的爆發並非「突如其來」。

我知道有孩子對襯衫摩擦皮膚、襪子內部的接縫、頭頂電扇的旋轉聲，或鬧鐘的滴答聲，超級敏感。在光譜另一端，則有孩子對於感覺線索很無感，這類低度敏感孩子不只無視於周遭發生的一切，也對內在的感受一無所知。通常，年紀小的孩子搞不太清楚，內在線索正在告訴他們能量低落，他們需要睡覺、多加衣服，或是進食。然而，我們看過許多年紀大一些的孩子及青少年，也不知道自己冷了、累了或甚至餓了。

瑪麗的問題一點也不罕見。解讀孩子行為裡的生理線索，最早可始於孩子出生之時。一旦孩子行為被貼上「難搞」標籤、不被視為是高度喚起時，那些線索就容易受到誤解。

許多爸媽在多年之後回顧孩子的嬰兒期或幼兒期，才辨識出可能是喚起調控出現問題的早期徵兆。當爸媽發現新方法，並用來理解孩子的行為時，就會出現「啊哈」的頓悟時刻。對許多孩子年紀已較大的父母來說，自我調整是重新了解孩子行為的良機。

如果你的孩子還小，你愈早學會解讀孩子的徵兆，你的孩子就能愈早開始培養自我調整力，且遠比你能想像的還要更早學會。

第二步：成為孩子的壓力偵探，辨識壓力源與壓力模式

根據二十世紀早期，坎農（Walter Bradford Cannon）所發展出的古典科學定義，壓力源指的是會擾亂恆定性的任何事物。恆定性乃是有機體所需的內在平衡，以面對外在挑戰，及回應內在需求，如成長、生殖、免疫系統及組織修復。

在生理領域，太熱或太冷，都是壓力源。吵雜的噪音、明亮的光線、擁擠的人群、強烈的氣味、陌生或出乎意料的景象與聲音、某些運動，以及無法做出某種動作，都可能成為孩子的壓力源，而每個孩子的壓力源都不同。

「敏感性照顧」意味著，辨識出你家寶寶正受到壓力及正在學習的徵兆，通常我們是透過不斷試誤，來了解什麼會讓寶寶平靜下來，什麼又會造成反效果。

音樂轉轉鈴教我的事

我家兒子出生時，我太太跟我急著用各種方法，促進他的大腦強勁生長。我們去逛嬰兒用品店，花了一個小時看遍各種音樂轉轉鈴，最後終於選了一個。根據包裝上的說明，這個音樂鈴是「由神經科學家設計，可強化給寶寶大腦的刺激」。上頭有不同的幾何圖樣，還有一個電池驅動馬達，讓多種圖樣在嬰兒床上頭慢慢旋轉。

當我們把音樂鈴裝上嬰兒床的那一刻，我兒子清楚表達出他的厭惡。他轉過身去，把頭埋入床邊的圍欄！我們決心要「刺激他剛開始生長的大腦連結」，遂將他翻過身來。這一回，他的反應是緊閉雙眼。

所以，我們又去了一趟嬰兒用品店，這一次，我們帶回一個設計更繁複的音樂轉轉鈴，有不同的轉速設定，結合了音樂與旋轉速度及燈光，這樣子就可以自行設定「最適合寶寶大腦」的轉動方式。這一回，可憐的兒子發出抗議的怒吼，很顯然，兒子覺得刺激過頭了。還好，我們放棄了，把音樂鈴塞進櫥櫃，改用經得起時間考驗的妙招（我猜想人類史前時代就開始使用了）「扮鬼臉」，來吸引兒子的注意力。結果真的很受歡迎。

三年後，我女兒出生，那兩個音樂轉轉鈴被壓在玩具櫃底層蒙塵已久。我內在屬於科學家的部分，決定來試看看女兒的反應是否跟兒子當年一樣。她樂不可支的咯咯笑，顯然喜歡不一樣的顏色與聲音，在看了好一會兒之後，她會開心的安定下來。**某個人的壓力源，卻會讓另一個人平靜下來**，真是一點也不假。

當孩子出現有問題、甚至讓人受不了的行為時，我們得問：引發這個行為的壓力來源為何？以音樂鈴為例，從兒子的反應，我們可以很容易找出壓力來源。在瑪麗及蘿絲的例子裡，蘿絲似乎是害怕穿了灰色運動衫，會受到其他孩子嘲笑而不高興。但若這是唯一的原因，為什麼隔天一早，她會開心穿上灰色運動衫下樓呢？

自我調整讓我們得以回到瑪麗早先的觀察，蘿絲幾乎每天傍晚都很不舒服，而且往往沒什麼特別原因。這意味著經過一天的活動之後，她變得高度喚起，在此狀態下，她會尋找或固著於某些特定的壓力源。然而，還有更深層的問題是，為什麼她會變成高度喚起？很可能是因為她在學校經驗到的情緒及社交壓力。當我們做自我調整時，五個領域都會加以考慮，只是通常會先從生理領域開始。

你毋須當個神經科學家，也能解答問題，但你的確必須像個壓力偵探。一旦你只想到管教小孩，你便已做出決定，認定孩子是放縱自我或故意使壞，所以你得祭出家法，要孩子明白哪種行為是不被允許的，並且加以處罰。

但是，一旦你想到自己所面對的可能是壓力行為，你就必須冷靜下來思考。你想弄清楚壓力是什麼，你就必須做到兩點，**一，不要讓自己成為壓力源；二，找出孩子的行為模式。**

你有注意到孩子做了某些事之後，譬如打電動或是大嗑甜食，會變得異常躁動嗎？孩子在跟朋友外出或做完運動回來之後，他是開心的還是煩躁的？或者反過來，孩子會千方百計找藉口，避免跟朋友外出或做運動？跟某些朋友在一起，會讓他快樂還是不開心？能量是提升還是下降？甚至可以觀察，這會讓孩子較不過動、還是更加激動？

蘿絲崩潰的情形在睡前最嚴重，這個事實顯示，她的壓力承載是白天逐漸累積下來的；這也可能顯示她的神經激素有些分泌不足，無法幫助大腦往下調整，由高度喚起進入昏昏欲睡的狀態。現在瑪麗可以開始思考，當女兒睡前發飆時，是否有異樣；或者反過來想，在她沒有發飆時，與平日有什麼不同？

瑪麗也檢視自己的反應可能會有哪些固定模式。她是不是在某些日子或某些時候，會比較沒耐心、容易不高興，或是對蘿絲的行為過度敏感？

生理領域是大腦與身體的能量調度中心，你可以檢視最根本的能量與修復來源。如果這些來源的能量很低，就會成為生理壓力源。孩子要培養自我調整力，得先有足夠的能量，才能因應日常生活的需求，往上或往下調整。基本的生理因素包括：睡眠、營養與進食習慣、運動與鍛鍊、身體覺察、健康狀況或特殊考量。這些生理因素是能量及恢復力的核心來源，能讓壓力下降，協助自我調整，因此一旦孩子欠缺，就容易受到傷害。

下視丘不只會對令人吃驚的事物做出反應，也會對疲倦產生反應，在此情形之下，孩子很快就會困在壓力不斷升高的重複迴圈中，在五個領域都引發反應，蔓延整個系統。

蘿絲從嬰兒時期開始，睡眠就對她的行為造成影響。她睡得愈少，就愈容易對每一件事大驚小怪。她睡得愈多，就愈不會那麼神經質，也愈容易恢復精力。到了十歲時，還是一樣。不管是什麼事惹她生氣，當蘿絲情緒崩潰的那些晚上，她都會少睡二到三個小時。睡眠不足又會使她隔天更疲累脆弱。連續好幾晚下來，她很容易就陷入睡眠不足及低度喚起的疲憊循環，一旦進入，就很難打破循環。

此外，高品質或修復性睡眠也是重點。對「小酒館寶寶」梅蘭妮來說，在低壓力情境中睡覺，跟她所獲得的睡眠量，一樣重要。暴露在燈光下，尤其是藍色光譜的光線，即使只在睡前短暫暴露，也會干擾促進放鬆的神經激素釋放。瑪麗跟當今許多家長一樣，誤以為玩iPad有助於孩子放鬆，好進入夢鄉，所以總是讓蘿玩到該上床睡覺時才關燈。

第三步：減少壓力

「減少壓力」說來簡單，如果孩子對噪音敏感，就「調低音量」，在家裡或其他可如你所願的環境裡，你可以這麼做，但以學校為例，要控制聲音及其他壓力程度，就沒那麼容易了。

以感覺壓力來說，學校裡的噪音是個大問題。無論是在教室、餐廳、體育館或走廊上，噪音分貝及殘響強度都太高了。對聲音敏感的孩子，他的神經系統會受不了，並影響到他的專注力、行為及心情。擁擠的公共場所，從遊戲場到購物商場及餐廳，也有同樣的挑戰。對絕大多數人來說，避免噪音不太實際可行。

在學校裡，有些方法可以幫助孩子調整感官敏感度，包括耳塞、抗噪耳機，或是將響亮的鐘聲及蜂鳴器聲音，換成有樂音的鈴聲。如果孩子對堅硬的表面很敏感，或需要經常動來動去，才能穩定下來，那麼換成不同的座墊或座椅，也會有顯著成效。在學校及家裡，視覺上「干擾」比較少的環境，也能有效減少視覺感官的刺激。你也可以把孩子的感官敏感度記在心裡，當作選擇餐廳及其他目的地的指標。

但還有其他方法，可以顯著減少孩子的壓力承載。孩子對任何單一壓力源的敏感度是可變的，也受到自己的整體壓力強度所影響。降低核心壓力強度，就能減少孩子的整體能量流失，提升能量的保留量，以而對各別的壓力源。譬如，當蘿絲得到充分的休息，就有能力面對那些在她筋疲力竭時，無法處理的不舒服與挫折。事實上，當孩子前一週還能開心面對的事，這禮拜卻讓他感到困擾時，我們往往會認為是孩子善變、舉止失禮，但真正發生改變的，其實是他的核心壓力強度。

第四步：好好想想，培養自我覺察

自我調整的目標，是協助孩子學習辨識出低能量／高壓力狀態，並且知道如何面對。但**唯有孩子清楚什麼感覺叫做「平靜」，才能學會辨識喚起狀態。**

問題在於，如果孩子只知道「高度喚起」的狀態，這就成了他的「平常狀態」。不幸的是，一旦孩子習於加速狀態，就會抗拒任何有助於學會如何平靜的正念練習。所以，我們必須確定孩子喜歡平靜的感覺。平靜下來與享受平靜，可說是一體兩面。

當瑪麗不去試圖管教女兒，而是到走廊上做深呼吸時，她描述那感覺像是「有某種開關打開了」。確實，她所體驗到的是某種微小的改變，造成她的大腦活動徹底翻轉。神經科學家稱此為「非線性轉變」（nonlinear transition），在這個例子中，轉變發生在瑪麗的內側前額葉皮質，由頂端或「背側」（背內側前額葉皮質）直到底端或「腹側」（腹內側前額葉皮質）的部分。當我們內心反覆思考（ruminate）*，或進行內在獨白時，與前者有關；當我們能意識到內在或周遭的發生時，則與後者有關。

研究顯示，簡單的深呼吸練習，就能改變大腦活動，從反覆思考的神經網絡，轉移到能對內外在環境創造出更多覺察空間的神經網絡。

我們愈常練習專注「活在當下」，就愈容易產生由背內側前額葉皮質到腹內側前額葉皮質的改變。彷彿這兩個系統之間的神經化學通道，蝕刻得愈來愈深，就更容易透過意識「打開開關」。當然，這就是我們在告訴孩子「平靜下來」時想達到的境界。只是，孩子需要多練習才能做到。一旦孩子喚起基準線過高，父母親的勸告幾乎沒有效果可言。

我們發展出五個步驟，幫助孩子喜歡並精通正念技巧：

1. 向孩子說明，你的做法如何有助於自我調整。
2. 確認孩子感到自在。
3. 幫助孩子專注。
4. 幫助孩子覺察生活與身心運作之間的關聯。
5. 從小處著手，每天規律練習。

假設你想帶孩子做呼吸練習，可以調整說話的風格，以配合孩子的年齡與注意力。然後告訴孩子，她的鼻子有條通道通到肺，肺臟下方有條很大的肌肉，吸氣時會把空氣帶進來，吐氣時會把空氣推出去。圍在肺臟外的肋骨會保護肺臟，也會隨著每一次呼吸擴張與收縮。向孩子解釋這樣子吸氣，能使能量倍增，讓我們更加清醒；當我們吐氣

＊ 譯注：這個字有心理學上的意義，指的是人像牛反芻食物般，反覆想著過去的事，愈想愈憂鬱，陷入惡性循環中，走不出來。

時，也會產生鎮靜效果。

確認孩子感到自在。在呼吸練習時，經常要將手貼在孩子背後支持他，讓他感覺到自己的呼吸。孩子也可以躺在地板上，或是將背挺直、放鬆坐在椅子上。

然後，幫助孩子把注意力放在呼吸上，詢問他，當他吸氣時，有沒有感覺到冷空氣進到他的鼻子裡？吐氣時，有沒有感覺到嘴巴裡或手掌心有溫暖的空氣？他可以感覺自己的肺部或腹部，像氣球般鼓起來嗎？

接下來幫助孩子意識到，當他專注呼吸時所產生的效果。假設孩子一直在擔心一件事，就帶著孩子一起做呼吸練習，幫助他專心在氣息的進與出，大約十次之後問他，他的擔心是不是減少，或甚至停止了。他的擔心還有再出現嗎？試著將他的注意力再帶回呼吸，看是不是會中斷擔心，最終內心的擔憂會減少，甚至完全消失。

最後，也許你會想用計時器設定時間。一開始先是幾分鐘，再慢慢將時間拉長。

孩子要發展調整力，自我覺察是核心關鍵。如果孩子沒有覺察到自己的感受，就無法做出任何改善。這個道理同樣適用於我們身上，但是身為父母的壓力，有時會使我們不禁自討苦吃。

我們家的故事：親子餐廳真能親子同樂嗎？

我們家孩子年紀還小時，我們會定期帶他們上「兒童主題」的披薩親子餐廳，這間餐廳位於離我們家半小時車程的小鎮上。可是，這些外出用餐的日子往往以災難收場。有時候，他們一上車就為了某件蠢事起口角。有時則是在外出用餐結束時才爆發，一眨眼間，兩個孩子就從興奮過度，變成鬧到不可開交。

「快樂」與「高度喚起」之間的差別，與「難搞」及「低度喚起」之間的差別，兩者一樣重要。我們家孩子習慣過鄉間生活，他們跟其他小孩一樣，一踏進餐廳，就立刻變得瘋狂。進了餐廳之後，要經過一番掙扎努力，才能讓他們把披薩吃下去，接著，又要使盡渾身解數，才能讓他們離開混亂的遊戲區。開車回家的路上也總是很折磨人。最後，我太太決定不再外出吃飯。然而她對我說的話，讓我意識到第四步驟最容易被人忽略的面向。

她告訴我，她有多討厭外出吃飯。當我問起原因，她立刻滔滔不絕說了一大堆。她討厭那間餐廳的每一個細節：噪音與喧鬧、不舒服的桌椅、刺眼的燈光與強烈的氣味，不過她最痛恨的，莫過於那間餐廳對孩子造成的影響。她一到那裡，就想離開，可是她勉強自己盡可能耐心等候。我問她為何這麼做，既然覺得去那裡用餐很折磨人，為何還強忍一切。她露出一臉疑惑。最後她回答：「嗯，你知道的，因為小孩在那裡玩得很高興。」既然小孩在那裡玩得很開心，為什麼到頭來一家人外出吃飯，卻糾紛不斷？

重要的是，謹記**家庭活動要對每一個成員都有益**。在你居住的地方，一定有各式各樣的機會，可以令你獲得平靜、恢復精神。帶著毯子及飛盤去公園，或是到森林走走，採集花朵與落葉，或者拿著桶子與鏟子去海灘。

後來，我太太想出了在家舉辦「週日披薩夜」的點子，以取代去披薩餐廳用餐。每週末，我們一家四口就會從無到有，一起做披薩。最有趣的是，我們四個人會做出四種不同的披薩，而不會只有一種，每一個人都可以設計自己的披薩。結果，我們每個禮拜都在做實驗，像是某種競賽，彼此品嚐對方的創意，看誰的作品最美味，還會有家庭投票，選出本週冠軍。這真的很好玩又好吃，讓我們四個人都徹底感到平靜，而且滿足極了。

這件事讓我們真正學習到，父母親需要自我覺察，意識到哪種活動會使自己及孩子的能量降低，處於高度壓力下，且容易因孩子的哪一句話或某個動作而情緒爆炸。

第五步：做出回應，找出讓孩子平靜下來的方法

從自我調整中，你會學到一個重要的區分，那就是「安靜」與「平靜」有何不同，這也正是你家小孩會學到的。**許多家長詢問我們，要如何讓孩子在飛行或坐車途中「保持平靜」。然而這些家長所關心的，其實是如何讓孩子「保持安靜」。**

很顯然，打電動會有讓孩子安靜的效果。當孩子打電動時，通常都坐得好好的，而且不太說話。但是，沒有人會誤以為電玩有助於讓人保持平靜，只消把電玩關掉，看孩子如何反應便知。僅是壓抑過動或衝動的藥物治療，也是一樣，無助於讓孩子平靜下來，只會讓成人在跟孩子互動時，較少受到孩子行動的干擾。

平靜跟被某些電影或電玩給迷住而安靜下來，是截然不同的。當孩子很平靜時，他是放鬆的，並且能對內在狀態與周遭環境保持覺察，享受當下。

生理、認知與情感這三個部分，是用來定義「平靜」的特質。這也許是自我調整的偵探工作中，對你與孩子來說，最具挑戰性、卻也很有意思的面向。因為什麼因素會讓孩子感到平靜，沒有一體適用的答案。值得謹記的是，單只是命令孩子「冷靜下來」，很少會有效果，雖然你很兇的時候，孩子當然會變得很安靜。

如果你運用大腦實驗室裡的造影技術，一窺此時孩子的大腦狀態，你會看到孩子雖然安靜不動，但是他的邊緣系統、額葉與頂葉、下視丘及其他神經網路，卻仍頻繁運作著。當我們的心躁動不安時，這些部分都會有積極的活動。當孩子是冷靜的，這些系統的活動便會減緩。甚至於兩種狀態下的腦波，差異也極為顯著：一個安靜的小孩，依舊有起伏甚大的 β 波，這是喚起狀態的標誌；但是當孩子是平靜的，我們看到的是緩慢、有節奏的 α、θ 和 γ 波，這是深沉放鬆的象徵。

有助於你進入放鬆狀態的做法，可能對你家小孩無效。瑪麗長期投入瑜伽練習，她告訴我，每個禮拜她最喜歡的時刻，就是星期天早晨的艾揚格（Iyengar）瑜伽課。所以，何不在傍晚，一天正要進入尾聲時，讓女兒與她一起去做瑜伽？在很多案例中，我們都看到做瑜伽對孩子很有用。但是，蘿絲討厭瑜伽。這些姿勢本該減輕壓力，但是她沒有一個喜歡的，而且她會受不了的扭來扭去。

有些典型的減壓做法，效果也很有限，譬如，可以捏揉的安撫玩具。不過，蘿絲現在已經是很厲害的壓力偵探了。她發現，做串珠盒對她有用。她可以渾然忘我做上好幾個小時，並且保持平靜，然後準備睡覺。不過，重要的是，要以此做為有效的策略之前，蘿絲必須清楚平靜的感覺是什麼，而不只是平靜的字義。

我們發現一件非常有意思的事是，這五個步驟可適用於任何年齡的孩子。因自我調整問題而奮鬥了好一段時間的青少年，可能要比年紀較小的孩子多做些嘗試，才能找到對他們有用的正念技巧。他們可能會想知道多一點運作的細節，也想更深入明白自我調整的方法。但不論孩子多大，也不管他們採用哪些練習方式，都同樣需要經歷這五個步驟。

06

情緒領域：躲在閣樓裡的怪物

孩子的情緒不論好壞，都需要我們接納他的所有情緒。在你試圖「管教」或要求孩子調整情緒之前，先安撫孩子，幫助他冷靜下來，才能看清情緒怪物的真實面貌。

許多爸媽講起自己孩子大起大落的情緒，都會用相似的形容詞，像是「搞不懂」、「令人振奮／沮喪」、「深具挑戰」、「神祕」、「奇怪」，還有最常聽到的「可怕」。

孩子的情緒為何讓人感到可怕？爸媽的說法也很類似：「我家的十歲小孩，行為舉止像是只有兩歲大」、「我女兒為了無法解釋的原因心煩意亂」、「我家小孩愈來愈生氣、沮喪，我們應付不來」。爸媽講起兒子或女兒時，會說他們「太興奮，根本不可能冷靜下來」、「似乎從來沒熱中過什麼東西」、「總是不開心」、「像彈珠臺一樣，從一種情緒衝向另一種情緒」，或者「感覺不到他應該有的感覺」。正如某位疲憊的家長所言：「我家小孩的情緒爆發，一點道理也沒有。」

幫孩子區分情緒

家長莫知所衷，這點不難理解。當孩子為情緒所困，往往會表現出來，讓你知道，可有時又讓你毫無頭緒。即使你知道孩子情緒不佳，但要如何面對，又是另一回事。

爸媽最常採取的做法，是跟孩子討論、要孩子「敞開心胸」；告訴孩子生氣只會使事情變得更糟；或者試圖建立他們的自我價值感及信心。當孩子感到不安，爸媽的第一個衝動，就是用理性來面對及解決問題。

不幸的是，孩子被強烈情緒淹沒，理性勸說幾乎幫不上忙。命令孩子控制情緒，只會增加壓力。甚至當深陷令孩子害怕的主觀經驗中時，要孩子「用他們的話表達」，可沒那麼簡單。

可以確定的是，幫助孩子說出內心擔憂及其他感覺是重要的。但是，孩子總是說不出所以然，當孩子在高度喚起狀態下，更是難如登天。情緒在此狀態中總是混在一起，譬如生氣不只是生氣，而是生氣加恐懼加去臉加激動。

我們需要幫助孩子解開各種不同的情緒，這個過程稱為「情緒區分」。孩子需要我們的幫助，來深入體驗多種情緒、覺察情緒，並且表達出來。

對於「情緒素養」或「情緒智商」這些關鍵面向，有些很棒的方法可以運用。但我們必須小心，別只把孩子的情緒發展，當成是左腦現象來處理，像是別以為只要讓孩子看勵志書籍或電影，就是在教導孩子、向他們解釋什麼是情緒。情緒成長必須要孩子親身體會，而且不僅只是主觀感受，而是發自內在，包含身與心的真誠體驗。

情緒引發的神經化學物質釋放，所導致的緊張、顫抖、疼痛及其他生理感覺，以及連帶產生的記憶與聯想，都是形成孩子情緒經驗與行為的力量。同樣重要的是，緊張、顫抖、疼痛及其他生理感覺，還有記憶與聯想如何引發情緒。

生理與情緒經驗緊密相連，我們必須由這一點開始，才能進一步培養孩子的「情緒素養」或「情緒智商」。生理與情緒因素交會的「生理／情緒紐帶」，正是自我調整可發揮作用的地方。

情緒與正向偏誤的力量

兩千五百年來，哲學家一直在討論情緒是什麼，至今還沒得到共識。即使有科學家、心理學家、精神科醫師加入探討行列，關於情緒，還是沒有單一解釋，能讓在你面對哭泣、生氣、抱怨、煩惱的孩子時，可以好過一些。

無論如何定義情緒，我們知道，情緒不論好壞，對身體都會產生強烈影響。正面情緒能補充能量，負面情緒則讓能量流失，情緒與生理會相互循環。當孩子得到充分休息，比較容易經驗到正向情緒；能量耗盡時，就容易受到負向情緒影響。對事物感興趣、樂觀開心的孩子，在面對學業或社交挑戰時會感到比較容易。害怕、生氣或是悲傷的孩子，在參與社交、學業或甚至是體能活動時，會有困難，甚至裹足不前。

「正向偏誤」（positive bias）＊會使人的情緒有更大的成長空間，也更能夠：

- 調節（向上或向下調整）強烈情緒，正向與負向（興奮及恐懼或生氣）皆可。
- 從失敗、失望、難堪、挑戰性情境及其他困難中復原，帶著自信與樂觀向前進。
- 靠自己的力量及與人合作，多做嘗試與學習。
- 對個人的努力與成就感到驕傲，並欣賞他人的努力與成就。
- 在與父母分享生活經驗、對情緒有所了解之後，感覺與父母更加親近。

＊譯注：指人類傾向於高估正向事物在人生或研究中發生的可能性。

讓孩子有餘力探索更多情緒

不過在此要談的，不只是擁有能量去解決情緒、認知及社交問題。孩子需要正向情緒，以探索更多不太舒服的情感及情緒化場面。一開始，孩子擁有的正向情緒，如好奇心、興趣、快樂十分有限，然而這樣的基礎，能使他習得更多複雜情緒，變得更積極主動、開心、果斷、誠實及具有同情心。

負面情緒則會帶來相反效果，削弱孩子探索新情緒領域的能量，而負面情緒也會「成長」。長期處於恐懼或悲傷中，很快就會感到疏離、彆扭、苦澀、憤世嫉俗、沮喪，或是排斥。

「負向偏誤」（negative bias）*使孩子難以從情緒波動中復原，不易面對挫折或失敗，很難維持溫暖的人際關係。

具有正向偏誤的孩子，會從挑戰及風險中塑造性格；具有負向偏誤的孩子，則傾向從事麻木自己的活動或消遣。正向偏誤使孩子能夠去體驗各式各樣的情緒；負向偏誤則令孩子壓抑情緒，壞處還不只於此。正向偏誤使孩子向嶄新的情緒經驗敞開心房，即使是可怕的經驗；負向偏誤使孩子對嶄新的情緒經驗關上心門，尤其是可怕的經驗。這包括了可怕的情緒冒險，譬如友誼、愛情，以及任何親密的情感經驗。

正向與負向偏誤的差異，為棉花糖任務增添一大變數。負面情緒會阻擋有助於孩子進行任務的正向情緒，也就是相信自己能延宕滿足的信心。在孩子的邊緣系統裡，「腦子裡的聲音」經常對他說，既然拒絕不了棉花糖，何必努力克制自己。

調整力能使孩子的情緒從負面轉為正面。強烈的生理因素，也許已讓孩子倒向負向偏誤，但是調整力能助孩子辨識出相關壓力，並加以改善，以充滿能量的策略，取代耗損能量的策略，來面對負面狀態。最重要的是，調整力能幫助孩子採取行動，做出改變。

「反射」無法控制，「情緒」可以調整

人打從一出生，就在做情緒調整，儘管科學家並不清楚寶寶何時開始出現「真正的」情緒。

＊譯注：意指即使是同等強度，具有負面特質的事物，如令人不快的思想、情緒或社交互動，對人的心理影響要比中性或正向事物更加強烈。

許多家長信誓旦旦，說他們能分辨三週大的寶寶何時是快樂的。而目前的科學證據，也真的已確知寶寶在前幾個月大時，主要在兩種基本狀態之間來回擺盪，也就是「感到壓力」與「感到滿足」。

寶寶大約是在三個月到六個月大之間，開始出現真正的情緒。這時寶寶會以各式各樣的方式表達感覺。面露微笑，顯示他很快樂或感受到其他正向情緒；不一樣的哭聲，則表達出各種負向情緒。

一剛開始，寶寶感到恐懼、快樂、生氣、有趣、好奇、驚訝與難過，可是他們無法控制這些情緒，因此心理學家將寶寶最初始感受到的種種情緒，視為某種反射，由來自遠古祖先的遺傳基因所控制，因為這些情緒對人類的生存是有幫助的。

恐懼反射是為了觸發讓照顧者跑過來的行為。喜悅會鞏固嬰兒與照顧者之間的關係。生氣可以告訴爸媽，最好注意一下寶寶的需求，而且是馬上就到。好奇會讓寶寶注意爸媽的一言一行；刺激寶寶去探索環境，就是由爸媽的臉開始。驚訝是讓爸媽跟小孩玩躲貓貓的強大動力，這遊戲能整合寶寶大腦的不同部分，好處說不盡。

以上演化觀點很有用，只不過有時會誤導我們。把「基本情緒」看成是「反射」，會產生許多問題，其中之一是，會讓我們回到混淆了「自我調整」跟「自我控制」的錯誤上。

如果這些情緒只是反射，意味著我們無力改變，正如有東西跑進眼睛裡，你無法不眨眼那般。不眨眼的唯一方法，是靠意志力。如果情緒是種反射，那麼以下必定為真：要是孩子有「情緒控制」的問題，那必定是因為他還不夠努力。然而，**有情緒問題的孩子缺乏的不是努力，相反的，他們往往太過努力，讓自己不受某些情緒影響。**

在此重要的是，這些反射如何與情緒經驗連結在一起，而這些情緒經驗與情緒調整的發展息息相關。

情緒與生理感覺，如何產生連結？

在嬰兒期，就可清楚看到大自然對情緒調整的設計，根本和控制無關。當嬰兒感到不安時，像是嚇到、肚子餓或壓力過大時，引發恐懼或生氣，媽媽跟爸爸不會用控制或跟嬰兒討論感覺的方式，讓嬰兒平靜下來。相反的，爸媽會安撫嬰兒，透過臉部表情或放鬆的身體姿勢，降低孩子恐懼，讓孩子知道沒什麼好怕的。

其他時候，爸媽會透過閃亮的雙眼、生動的臉部表情及語氣、笑聲，增強孩子的喜悅或好奇心。這正是運用間腦，和孩子進行「右腦對右腦」的溝通，對孩子往後發展調整情緒的能力，也至關緊要。

寶寶或許並未有意識的覺知這一切，但是寶寶充滿直覺的右腦，卻對爸媽的臉部表情、身體姿勢與動作，所表現出的種種情緒，具有高度敏感，而且能透過間腦雙向的直覺管道來溝通。

當你回應孩子的情緒，你就是在幫助他形成生理／情緒紐帶。在孩子生氣發飆時，有些父母很難保持鎮靜，會變得緊張，甚至急忙逃離現場，或者人在心不在。幼兒及嬰兒可能會把爸媽的反應（爸媽可能會嚇到他們），與自己的生氣行為連結起來，以後當他感到憤怒時，他會試著壓抑怒氣，並且變得緊張。然而，有的爸媽會覺得發飆的小孩充滿能量，很有意思，帶著善意回應孩子，還會鼓掌、開懷大笑，孩子與爸媽之間便會發展出喜悅滿盈、朝氣勃勃的連結。

透過交流，情緒變得與生理感覺緊密相連。這是某些孩子對正向情緒沒有反應、對負向情緒卻反應激烈的原因之一。

舉例來說，有些爸媽受不了孩子活蹦亂跳，要是有爸媽因此緊張不安，試圖限制孩子的活動，孩子的右腦就會把喜悅的感覺與緊張連結在一起。

這種生理／情緒紐帶會主導一切，當孩子開始感到興高采烈，他會關閉自己，而你甚至不明就裡。或者，孩子得單獨面對害怕或孤單，等到長大之後，一體會到這些感覺，便會引發腎上腺素分泌，甚至造成胃痛、胸痛或頭痛。

以上連結也會反向形成，從生理感覺連結到特定情緒。舉例來說，有個嬰兒肚子餓了，沒有人回應他的哭泣，他的肌肉緊繃，覺得很不舒服，便開始感到生氣。如果照顧者在他剛感到生氣時，就以責罵或冷淡回應之，肚子餓與孩子剛體會到的生氣情緒，便會進一步與絕望的感受連結。等這個孩子長大之後，同樣的生理感覺出現時（譬如胃痛），就會引發生氣或絕望的感受。爸媽會覺得很困惑，完全不知道深層的生理／情緒紐帶才是元兇，爸媽心想才不過一秒鐘前，孩子似乎還很快樂，「為什麼說變就變？」

調整情緒之前，先幫助孩子冷靜下來

我們回應孩子情緒的方式，會減輕或強化孩子所形成的連結。而每個寶寶需要父母提供多少能量來調整連結程序，需視個別需求而定，而且差異甚大。有些寶寶就是比較容易接受安撫、容易感到愉快，這牽涉到很多因素，像是基因、環境、病毒或腸絞痛的影響。

無論孩子在哪個年紀、體質如何，唯有正向情緒可以使孩子的「油箱加滿」，以面對生活起伏。

與孩子分享快樂，可以補充能量。負面情緒則會使能量流失，所以一旦你能緩和孩子的負面情緒，而不是一再忽略，或是要孩子別激動，而是幫助他們穿越這些情緒，便能大幅降低孩子的神經系統負擔。

「情緒調整」的標準定義是「監測、評估及修正情緒」。換句話說，孩子要能辨識出自己何時過度焦慮或生氣，並且考量自己的情緒是否適合當下情境，如果不適合，孩子要能讓自己冷靜下來。

不管什麼時候，當我把上述定義讀給家長們聽，並且詢問他們家孩子在這方面表現如何時，都會引來哄堂大笑。我們都很期盼孩子能學會這些技巧，但實際上很難做到。

我曾聽過一位在學校工作的心理健康專家提到，很多孩子有「外化」及「內化」*的失調狀況，也就是行為或心情出了問題。她用簡易的「情緒語彙表」，協助孩子確認自己的感受。老師們會在一天當中的不同時段叫住學生，要學生指出自己當時的狀況，是在表上的哪個位置，用意是試圖協助孩子留意情緒，在焦慮或生氣時更有意識，並能夠自然應用策略（比方說深呼吸，或是數到十），讓自己冷靜下來。

這位心理專家的做法，與許多受到廣泛運用的「社會情緒學習」（social-emotional

learning，SEL）計畫及技巧雷同，皆側重在情緒智商與素養之上。但是，她的做法與社會情緒學習有同樣的限制。對情緒調整有困難的孩子來說，他的問題往往出在並不清楚（甚至否認）自己是焦慮或生氣的；定時叫孩子確認自己的感受，幫助不大。這種策略也容易走樣，變成過度介入，帶給孩子過大壓力，產生一種權力關係，使師生關係變調。

最重要的是，尤其當孩子生氣或抓狂時，左腦的歷程如語言、分析或反省，會因為腎上腺素激增，把孩子推向高度喚起狀態，而發揮不了作用。也就是說，孩子愈是激動，就愈難監測、評估及修正自己的情緒。孩子需要做的第一件事，便是回歸平靜，這也必定是爸媽（或老師）的首要之務。**先幫助孩子冷靜下來，而不是強迫他監測、評估及修正自己的感覺。**

孩子有相當長的一段時間，需要我們協助執行調整功能。孩子的情緒反應常常出乎意料，不是反應太過，就是完全沒反應，令他們自己覺得很悲慘。即使已長成了青少年及小大人，一旦情緒令他們不勝負荷時，還是會回過頭來找我們。

＊譯注：「外化」指的是將情緒壓力透過外顯行為表現出來，通常指有攻擊性、衝動、過度活躍及違法的行為；「內化」則是向內壓抑情緒壓力，包括抑鬱、焦慮、內向退縮及受心理影響所致的身體不適等。

當爸媽似乎無法協助孩子冷靜下來或開心起來時，自然會覺得可怕、不知所措、棘手或挫折。孩子是如此緊張、氣憤，不管你做什麼或說什麼，彷彿都幫不上忙。這種情形會發生，不是因為孩子的「煞車機制」出了問題，也絕不是因為孩子「不夠努力」，而是因為卡在某種喚起狀態，不管任何人說什麼、做什麼都沒有用。

就算你再怎麼勸孩子冷靜，他也辦不到。在你試圖「管教」之前，你需要先安撫孩子。在能夠幫助孩子學會監測、評估及修正情緒之前，我們需要先把重點放在**「情緒調整3R」，也就是「辨識」（Recognize）、「減少」（Reduce）、「恢復」（Restore），辨識出壓力升高的跡象，減少壓力，恢復孩子的能量。**

情緒問題，並非全是心理出了問題

不管是對情緒運作、還是生理功能來說，能量的恢復與增加都很重要。

事實上，能量對於生理與情緒兩個領域的重要性，關係如唇亡齒寒。孩子沒睡飽、營養不夠、運動量不足，就得不到所需燃料，以支持健康穩定的情緒運作。另一方面，孩子有長期或極端的情緒困擾，也會透支原本用來維持大腦與身體健全運作的能量。情緒消耗過多能量，會使身體健康付出代價。

瑪麗與蘿絲母女的新挑戰：令蘿絲抓狂的臥室改造

連續好幾天下午，蘿絲都在重新布置房間，可是一到了晚上，新的房間布置卻讓她哭個不停。瑪麗真的很擔心女兒是不是得了強迫症，不管如何好言相勸，似乎都沒有用，插手管事只會讓事情更糟。

蘿絲的苦惱，似乎不只是因對房間擺設的感覺變來變去，她的行為模式也不致於極端到像是有強迫症。她的生活中還有什麼壓力源呢？與姊姊起爭執，是她的情感生活的一部分。

蘿絲是妹妹，因此臥室比較小，她經常抱怨這一點。除此之外，她得比姊姊早一個小時上床睡覺，她很討厭因為早睡，而無法參與家人在她就寢後做的「有趣的事」。蘿絲覺得身為家裡年紀最小的人很辛苦，但這也不是什麼新鮮事。為什麼她會突然情緒爆發？又為何是現在？

生理失調與情緒低落的惡性循環

自我調整總是始於生理領域，當我向瑪麗詢問蘿絲的睡眠、進食、體力活動與一般身體狀況時，她立刻意識到其他可能的壓力源。最值得注意的是，蘿絲才剛從流感中康復。

在蘿絲開始使性子之前，她已連續吐了四個晚上。這表示在危機爆發之前，她的生理狀態極糟。她因為生病請假，沒去學校上課，所以她不僅功課落後，也沒參與到朋友圈的活動，感覺自己落單了。

重點已經很清楚，我們必須把生理／情緒紐帶這點放在心上，這是生理領域與情緒領域至關緊要的核心連結。蘿絲的情緒壓力顯然是個重要因素，卻非唯一因素。情緒壓力再加上能量流失，造成她抓狂，蘿絲深陷在由生理與情緒壓力交織而成的壓力循環中。緊張會使焦慮加深，反之亦然，愈焦慮就愈緊張，然後緊張又再度強化了焦慮，依此類推，整體狀況很快就一發不可收拾。

當強烈情緒超過孩子的負荷，喚起程度會急速上升。透過自我調整，你能為孩子提供協助。

降低孩子的喚起狀態，永遠是第一要務

首先，先降低孩子過度喚起的程度，可以從舒緩孩子的生理緊張著手，就像你在孩子的嬰兒期做的那般。孩子的生理喚起愈是降低，情緒喚起就會開始平息，生理／情緒紐帶就會被打斷。只要整體的喚起程度下降，她就能開始聽得進你想讓她明白的道理。

蘿絲的妹妹身分、臥房大小及就寢時間，這些事實都改變不了，從這些事實來跟她講理，無法幫助她冷靜下來、讓她好好睡覺。瑪麗此刻需要做的是，完全不管蘿絲的情緒，把焦點全放在生理上。

由於有之前運動衣事件的成功處理經驗，再加上瑪麗發現蘿絲的新壓力源，瑪麗先以溫柔的擁抱及輕緩的按摩，來回應蘿絲的抓狂情緒。不囉嗦、不分析，只做頭、肩及背部按摩，一共只要花十五分鐘。

在這次事件中，我發現最值得注意的是，幾個晚上之後，蘿絲主動問瑪麗是否可以幫她按摩。又過了好幾天，她們倆終於聊起蘿絲的臥房，結果情況根本不像瑪麗先前害怕的那麼嚴重，也不像蘿絲又累又病時以為的那麼可怕。

監測孩子「何時」覺得有壓力，而非監測情緒

瑪麗先幫助蘿絲，學習如何對生理感受更有覺知，而不把焦點放在情緒感受上。這有助於蘿絲學會辨識出自己壓力過大的時候，並學會如何降低緊張，也就是辨識出她與自己的身體在何時失去連結，以及如何與身體恢復連結。

瑪麗會在開始按摩時詢問蘿絲，會不會感到手臂僵硬，像是還沒煮過的麵條。幾分鐘之後，再問她有沒有感到手臂開始放鬆了，像是煮過的麵條。

沒多久，這變成兩人之間的遊戲，當蘿絲一緊張，就會告訴媽媽，她的「手臂像是還沒煮過的麵條」。在她們一起進行自我調整步驟的同時，蘿絲也學到方法協助自己觸及生理／情緒紐帶。簡單的調整技巧，就能幫助蘿絲開始了解自己的情緒。

正如蘿絲的故事所顯示，當你先安撫孩子的情緒，辨識、減少與恢復這三個R，自然會出現。當你能與孩子冷靜互動，才有機會一起找出壓力源，採取步驟降低壓力，並發現有助於孩子冷靜的方法，讓孩子學會練習自己做。

對所有人來說，一般都可由生理／情緒紐帶著手，這剛好也是蘿絲學會調整情緒的關鍵因素。雖然生理／情緒紐帶並非唯一要素，但肯定能為蘿絲往後的情緒成長鋪路。蘿絲的情緒成長，得在她大幅改善對身體狀況的自我覺察後，才有可能進步。

正如結果顯示，蘿絲的確開始在情緒調整上進行「監測」，但這是在監測壓力與緊張程度，而非監測情緒。

你的做法，是滋養孩子的情緒，還是壓抑孩子的情緒？

在生理領域的自我調整，孩子會進入消耗能量的生理狀態，然後冷靜下來，恢復能量。而在情緒領域，此亦為真，孩子在經驗到消耗大量能量的情緒後，冷靜鎮定下來，恢復能量。

在生理領域中，恢復階段十分重要，能為成長及療癒創造出合適的條件。在情緒領域，也是一樣。

透過間腦的親子互動，對情緒成長相當關鍵。當然，這並非情緒成長的唯一動力。孩子天生就會透過角色扮演遊戲、同儕互動、閱讀故事書及講故事，面對及探索情緒。爸媽在此過程中扮演很重要的角色。透過我們的反應，在意識與潛意識中，促進了孩子的情緒成長。

有時很不幸的，阻礙孩子情緒成長的正是爸媽。當孩子提到令我們感到不舒服的情緒主題，譬如關於生命、死亡及性的問題，或者我們不想面對的行為，若避免去談，他們也會學著不碰。相反的，如果能跟孩子一起討論，對各種問題保持開放心態，與他們分享我們的經驗及探索，孩子的情緒經驗會更加豐富，並且也能反省與自我覺察。

要滋養孩子的情緒成長，維持間腦的雙向溝通是關鍵的一步，即使是在孩子威脅要與你斷絕關係的艱困時期，尤其要好好維持。正是透過間腦的滋養運作，孩子的基本情緒才能分化、拓展及深化，並且能發展出正向的「次級」情緒（勇氣、決心、希望及慈悲）。情緒資產的基礎打得愈深，在面對壓力時，就比較容易保持冷靜。

然而，在間腦的雙向溝通過程中，孩子也會獲得我先前提過的負面次級情緒，像是絕望、嫉妒、罪惡感，這會使孩子在情感上更加脆弱，更容易陷入焦慮。雙向的間腦對話不會說謊，在蘿絲的故事裡，當瑪麗深感挫折時，等於是對蘿絲說，她的行為很令媽媽氣惱。但這麼做一點幫助也沒有，反而像是火上加油。為了幫助女兒梳理這些複雜情緒，瑪麗必須覺察到自己的情緒暗流，以及自己的反應會如何使女兒更加苦惱。

孩子需要我們，接納他的所有情緒

孩子在成長過程中，會開始探索各式各樣不同的情緒，不只是讓他振奮的情緒，還有讓他害怕的情緒。重要的是，我們能接納他的所有情緒，不要刻意迴躲會令我們不舒服的部分。

正如我們會被探索陰暗、不安情緒的電影給吸引，孩子也需要有安全感，好去探索令他戰慄的情緒主題。要提供孩子所需的安全感，爸媽唯有保持冷靜與關心，才能做到。幫助孩子學習如何面對困擾不安的情緒，而不是停留或倒退到早期仍為生理與情緒反應困擾不已的階段。

譬如，疾病與死亡是孩子常見的擔憂。他們會看到祖父母變老，有時候還會生病；姑姑阿姨、叔叔伯伯、表弟表妹，還有其他親朋好友，與疾病或死亡奮鬥。他們擔心其他人會死去，或許擔心你死去，並且擔心到不知如何是好。孩子的情緒壓力可能會顯現在某個領域，或許是胃痛，也可能是焦慮，但無論如何，他們通常會將內心擔憂，以率直的問題或煩躁的憂慮，直接傳達給你。

有許多焦慮不已的孩子在做自我調整之後，反應都很好，自我調整不是轉移他們的注意力，而是幫助他們做好調適。藝術活動是格外有效的做法。孩子作畫時，若是選了某種死亡主題，爸媽要告訴孩子他的畫有多美麗，或者鼓勵他解釋自己的畫，而不要害怕自己的所見所聞。

隨著年紀漸長，孩子會發展出冷靜客觀思考情緒的能力，開始了解與生氣、恐懼及悲傷這類情感相關的各種情境。孩子會在角色扮演遊戲中探索，生理與情緒感知在這些心理劇中是緊密相連的。

冷靜的孩子會表現出更多細節，感受更為細膩，也更能透過不同的情境表現出各種情感。相反的，容易喚起的孩子，比較容易情緒化，或是表現出較多焦慮或攻擊性。

當孩子愈懂得反思自己的情緒，就愈能明白自己為何生氣、憤怒或悲傷。他們開始愈能理解在情感的灰色地帶裡，有許多微妙之處，還有同儕關係中所要求的給予與接受。在孩子還小時，可能會衝進屋裡，大喊自己有多痛恨他最要好的朋友，因為朋友下課時跟其他孩子一起玩。到了中學時，他可能會在受人冷落時，或是高談闊論，或是自言自語，思考自己為何感覺如此受傷。

辨別情緒、發展調整情緒的工具、思考自己或他人的情緒、了解自己的情緒來源及為何會產生這種感覺……所有這一切關於孩子情緒成長的關鍵要素，都有賴於孩子在與你的安全關係及間腦的交流下，跟你及他所信任的人們一起探索。沒有這些情緒的形成經驗，孩子的情緒就會卡在全有或全無的悲慘模式裡。

將情緒攤在陽光下

孩子傾向壓抑不安的情緒，我們大人也是如此。然而，別讓孩子避免或壓抑痛苦情緒，而要將情緒攤在陽光下，正是培養健全情感的祕密所在。要一個孩子做到這點很難，對每一個人來說都是。

我們都知道，強烈的負面情緒會令孩子覺得可怕，以致能量盡失，還會試著壓抑。壓力累積到臨界點時，孩子就會爆發出來，或是封閉自我。這時要孩子「用自己的話表達」，並沒有幫助，因為他們正在逃離令自己恐懼的情緒。常見的狀況是，孩子會退回前語言狀態，無話可說，或者用原始的方式表達情緒上的痛楚，這通常只會讓事情更糟。**有多少回，爸媽聽到生氣的孩子吶喊：「我恨你！」但事過境遷後，孩子根本不會說這樣的話，甚至根本也不是這麼想的呢？**

要幫助孩子在情緒方面成長，需要我們幫助他們表達自己的感受，並感到這麼做是安全的。他們需要擴展情緒語彙，懂得思考及分辨情緒反應的不同元素。他們必須學習辨識自己在什麼情況下，情緒會爆發；隨著年歲漸長，他們要能了解自己情感脆弱之處，同時還需要發展新的情緒，學習如何面對新的情感挑戰，這也是成長的一部分。

學習看懂情緒指標

還記得在一次演講後，一位汽車技師來找我，跟我分享他的頓悟，他說孩子的行為，就像顯示「引擎」狀況的儀表系統嗎？在許多方面，強烈情緒都像是我們的內在指標，讓我們知道引擎何時過熱或者空轉。

孩子必須學習的事情之一是，強烈的負面情緒會在何時讓我們知道，我們處於低能量／高壓力的狀態。值得注意的是，有些事發生在低能量狀態時，會令我們感到恐怖或深受刺激，但當我們處於高能量／低壓力狀態時，這些事卻幾乎不會造成困擾，甚至根本不成問題。

與其教孩子壓抑強烈情緒，我們希望孩子能辨識出這些情緒是種訊號，知道自己已壓力過大，需要休息恢復。一旦爸媽及孩子能從這種角度重新理解「恐怖的」情緒，這一切就不再那麼可怕了。

蘿絲生氣抓狂，就是種訊號，顯示她因各種原因而過度緊張與疲憊。當蘿絲明白這些情緒只是指標，在告訴她要減少緊張、增加能量之後，接下來幾個月，她的問題就減少了。

孩子在這方面的學習，永遠都是兩個人的工作。你身為孩子的情緒導師及夥伴，可以打破根深柢固的壓力循環。當我們在教孩子學習情緒調整時，可以教給孩子一個重要的課題，那就是在情緒失調之前就辨識出徵兆，如此一來，就不致於強烈到令孩子只能採取戰或逃，或者凍結反應，也就可以進行自我調整的五個步驟。

情緒調整始於兩人一組，發生在兩人之間，在人的一生中，這點對健康的人際功能運作，相當重要。讓孩子感到安全，就能夠安撫孩子。儘管這始於父母與孩子之間，卻也是所有關係的根基，從友誼及同儕關係，到愛情及人生伴侶都是。當間腦運作順利時，也就是達到「適配」（goodness of fit）的程度，彼此都會感到安全可靠。這正是為何情緒起伏會產生穩定的影響，分享每一個人的情緒差異，能擴展及加深生命經驗。

事情總有一體兩面。正如人生經常有情緒起伏，感情不合的時刻也所在多有。也正如從情緒起伏中復原，對個人身心健康相當重要那般，兩個情緒差異甚大的夥伴，能找到共同的情感基礎，對強化間腦的力量至為關鍵。

自律的動力應來自正向情緒，而非負向情緒

我們經常聽到孩子無法控制脾氣，正是最大的危機之一。每個小孩或多或少都被認為有情緒問題，有些孩子或許是有生理、家族或社交上的原因，被認為問題比較嚴重。

傳統的想法是，不管原因是什麼，如果孩子動輒發怒，就會受苦，而且有連篇累牘的研究支持這樣的想法。研究顯示這類孩子比較容易提早輟學、表現出反社會行為、嗑藥、自殘，或是發展出心理及長期的生理問題。但若要有效處理孩子的生氣問題，重點

要放在把原因跟後果分開看待。難不成光是孩子動了氣，就注定落得那些下場，或是我們對孩子怒氣的反應，造成他們向下沉淪？

事實是所有人——爸媽、老師、甚至孩子們——在他人發怒時，也一樣動了氣。當我們感到憤怒時，很自然會把氣出在別人身上，即使那是我們的孩子。他就是出錯的人。他就是「讓我生氣」的人。他就是必須低頭認錯的人。如果他不認錯，造成了嚴重的後果，全都要怪他！

在所有負面情緒中，生氣或許是最難處理的。爸媽通常會說，孩子的怒氣會那麼恐怖，是因為無法預期、突如其來。某天晚上的家長會上，有位媽媽描述兒子暴怒的狀況：「他就是像火山突然爆發，前一秒還很平靜，下一秒就咆哮大怒。」

然而，**沒有人的情緒會真的在瞬間爆發**。孩子的言行舉止可能轉變極快，但這並不意味著他是從平靜無波、瞬間就切換到怒氣沖天。這是為何我們必須要能分辨壓力鍋般的「安靜」（有可能瞬間爆炸），與經過自我調整後的情緒平衡，是兩種完全不同的狀態。**當孩子怒氣沖天，其實已累積許久，儘管並未表現出來，最重要的是，甚至他自己也不知道**。如果張力過高，原先在他平靜時不會對他產生影響的事，也會令他的情緒一觸即發。

這是為什麼孩子需要了解情緒爆發的重要性。換句話說，他需要意識到導致他情緒爆發的生理狀態。

自我調整則告訴我們，孩子最大的危險不在於體驗到忿怒這種情緒，而在於他對自己的感受覺得羞愧，被責怪是缺乏自我控制。孩子甚至因此受到處罰，使得他更容易陷入其他負面情緒，像是無助感、無價值感、憂鬱，或者甚至痛恨自己。這一切所帶給孩子的，跟「控制脾氣」一點關係也沒有。

生氣並非需要控制的性格缺陷。可以肯定的是，孩子必須要有清楚的界線。研究顯示，對孩子來說，沒有界線跟界線過嚴，一樣都是重大的壓力源。但是，管教孩子的目標是要幫助孩子發展出自律，而且自律來自於孩子的正向情緒、而非負向情緒。自律來自於孩子渴望成為某種人，並且相信自己能成為那樣的人，而非害怕會因自己的行為丟臉或得到懲罰。

情緒不論好壞，都是成長的一部分

既然人人都清楚生氣會導致不好的結果，為什麼孩子還要發怒，讓自己遭人排斥？為什麼孩子要選擇發狂，不保持冷靜穩定？邱吉爾曾說，要在每個困難中看到機會，當這麼做有很大的好處時，為何要在每個機會中都看到困難？為什麼會有青少年整天關上窗簾，躺在床上？為什麼焦慮的孩子「不肯放手」、悶悶不樂的孩子「不肯振作」？

正如這一整章不斷強調的，答案是，孩子並非選擇要這麼負面、固執或悲慘。信不信由你，被你規勸要冷靜下來的孩子，他的確想這麼做；重點是怎麼做到，這一點令他困惑費解。他並非不了解發怒的代價。如果他真的不了解，我們大可以把後果解釋給他聽，不厭其煩，一再解釋，那他就會息怒、振作起來，冷靜下來，不再煩躁，試圖控制自己。

與我們接觸過的家長多能了解，「復原力」不在於避免或壓抑強烈情緒，而在於面對並妥善處理。他們都嘗試過用自己的方法，處理孩子的情緒問題，消除疑慮、要求孩子敞開心胸，講出自己的困擾，或者辨識出困擾的來源。幾乎每一個人都發現，用規勸及邏輯來回應情緒問題，都是徒勞無益的。

自我調整不只告訴我們為何這些做法無效，更重要的是告訴我們要做些什麼，使我們得以拓寬視野，看見整體，而非只看到孩子在生理／情緒翹翹板高起來的那端。當生理／情緒翹翹板的一端跌下去時，另一端也會受到影響。沒教會孩子調整生理喚起，孩子就學不會調整情緒喚起。

強烈的情緒一點也不會阻礙孩子獲得幸福，反而是獲得幸福的祕訣所在。我指的不只是愛與同理心，或者興趣與好奇心，還有恐懼及煩惱，也都是成長的一部分。

即使生氣及憤恨會讓孩子及他身邊的人日子過得悲慘，但不可否認，這類情緒也是孩子發展的主要動力，並與生理緊密相連、難以分割。

讓這奇怪恐怖的行為暴露在日光之下，你會發現躲在閣樓裡的可怕怪物，不過只是鬆脫的百葉窗，被風吹得嘎吱作響罷了。

07

認知領域：保持冷靜、警覺心，找回學習力

當孩子的注意力不夠集中，我們往往認定他需要加強專注力。自我調整則把焦點放在處理根源，而非注意力不集中的後果。你會發現，這從來就不是單一的問題。

七歲大的泰勒，身材瘦長結實，與其說他是走進房間，不如說他是衝進來的。他一下衝進來，又衝出去，再從這個房間衝到另一個房間。他很笨拙，經常撞到桌椅，還會撞到牆壁。他需要觸碰並把玩每一件看到的東西，但都只看一下下，就不再理會，常是順手往地上丟。

跟他坐下來談話時，他會拿出掌上型遊戲機一直玩，根本沒辦法把他拉出遊戲機外。他的媽媽辛西亞解釋，他到哪裡都會帶著電子遊戲機，甚至連走路或跟別人聊天時都在玩。這大概是唯一一件能讓他慢下來、並抓住他注意力的東西。

在描述注意力障礙的行為診斷清單上，「高度注意力渙散」及「追求新鮮感」，通常很容易看出來。但是對泰勒的媽媽或周遭人來說，卻很難以精確語彙描述他的「高度

注意力渙散」，因為他不只是注意力渙散，根本毫無注意力可言。也很難說他的行為是追求新鮮感，因為他似乎對所見所聞，視而不見，彷彿內在有種深層的需求，驅使他像隻蜂鳥般，飛到東又飛到西。

他不只坐不住，當他四處漫遊時，看得出來很緊張，與其說他是好奇，不如說他很焦慮。即使他能好幾個小時都黏在電玩上，還是很難說他是真的「專心」、還是「注意力攫取」（attentional capture）。前者是種主動的心智狀態，後者則是有事物打斷了其他心智處理程序，抓住你的注意力，即使能維持一段時間，仍被視為是被動的心智狀態。

對泰勒及許多有注意力問題的小孩來說，電玩快速變化的影像、吵雜的聲音及明亮的顏色，雖然會吸引他們的注意力，卻也會使大腦能量流失，提供一波波短暫卻累人的能量震撼，造成自我調整困難，就像餵大腦吃垃圾食物。

吃藥的幫助有限

泰勒還是學步兒時，過動行為就令人難以應付了。光是要他坐下來好好吃完早餐，或是準備好去雜貨店，都需要他媽媽付出無比的耐性及努力。

但是等他開始上學後，情況更是每下愈況。泰勒五歲大時在幼兒園裡，完全無法乖乖坐好，也無法專注在一件事情上，更沒辦法排隊等放學，甚至不能跟同學一起玩遊戲或做任何活動，即使簡單如「賽門說」或「我是小間諜」。這也使得他無法進行一對一教學，對團隊活動造成困擾。這一切都代表，他失去了重要的學習機會。

進幼兒園那年，泰勒即被診斷出有注意力不足／過動症，接下來，他被要求服用改善注意力的中樞神經興奮劑。辛西亞說，用藥對他在學校的行為表現有些微幫助，這對他的社交及學業發展相當重要。

然而泰勒不喜歡吃藥，他討厭口服液與口嚼錠的味道。他們也試過貼布，但是那讓泰勒不舒服，一逮著機會就把貼布撕掉。所以，讓他用藥是場大戰，到了晚上，藥效退去，兩人都深受折磨。辛西亞是單親媽媽，白天當律師祕書壓力很大，但是晚上陪泰勒是更大的挑戰，最困難的時候是就寢時間。她可能要花好幾個小時才能讓他安靜下來。能讓他在午夜之前入睡，就算是小小勝利了。而且即使她清晨起床時感到身心俱疲，泰勒卻從未因缺乏睡眠感到困擾。

現在泰勒就讀小學一年級已三個月，他的狀況對他及他媽媽來說，只有令人愈來愈苦惱。課程已經進展到早期的閱讀、書寫及理解技巧，但泰勒的注意力不集中及容易衝動，使他跟不上進度。如今他的行為像是一道無法穿透的牆，將泰勒的學習與其他同學隔了開來，或者如他媽媽真正害怕的，他根本無法學習。

為數日增的父母及孩子的老師，也與泰勒的媽媽一樣，都對注意力出現嚴重問題的孩子感到擔憂。不專心的孩子無法學習，無法學習的孩子就無法順利發展。

我們對於泰勒的臨床目標是要他慢下來，幫助他與自己的身體有所連結，協助他體驗與享受到平靜的時刻，然後能學會自己冷靜下來。

不過，當我們在與像泰勒這樣的孩子工作時，我們的研究重點會放在他們能教給我們所有孩子的普遍狀況是什麼，而不只是去解決他們在認知領域上遇到的困擾。

找出學習認知領域的共同根源

「認知」是涵蓋範圍很大的名詞，包含的心理學領域多得不得了。

認知指的是任何與學習有關的心智歷程，譬如注意力、知覺、記憶及問題解決等，光是任一個心智歷程的涵蓋範圍，就很廣泛了。然而自我調整只關心一個範圍較小、卻很必要的重點，也就是這些不同認知歷程的共同根源，以及這些根源受到壓力時，會如何對以上學習領域造成問題。

在孩子及青少年的問題中，最常見到的認知領域面向有：注意力、忽略干擾、延宕滿足、概念組合、觀點排序、挫折耐受力、從錯誤中學習、轉換焦點、了解因果關係、抽象思考等。

當你遇到孩子有以上任何一個問題，你很自然會想把焦點放在其上，譬如遇上注意力不集中的孩子，你很容易認定他需要加強專注力。但是，自我調整經常問的是：為什麼我現在會看到這個問題？背後的影響因素是什麼？我可以做什麼，以強化認知根源？這些問題不只對有以上問題的孩子是重要的，對所有的孩子都很重要。

即使是有能力學習的孩子，學校功課帶來的新型挑戰愈來愈複雜，需要孩子更專心致力於此。課業成功的壓力極為沉重，學校生活對社交及情感的需求，只會給孩子增加壓力。

猶如植物的根部系統吸收水與養分，就能幫助植物生根茁壯，同樣的，在講到認知的根源時，我們指的是，各種感官吸收及處理來自內外不同種訊息的過程，還有，這些根部系統如何讓孩子安定沉著，以提供安全感，讓孩子能專心投入這個世界。

上述提到的內部及外部訊息，告訴我們，需要處理的不只是視覺、嗅覺、味覺、觸覺及聽覺五種感官，還有內部感覺。內在感覺能告訴孩子身體的內部狀態，軀幹、頭部、四肢、手掌及足部的位置，溫度與壓力的改變，甚至是對時間的直覺。

打造更高階的認知能力前，先打好根基

在孩子的感覺根部系統受到壓力時，若催促孩子掌握高階後設認知（metacognitive）*技巧，像是計畫力、自我監督、或者評估自己的學習，只會令孩子、家長及老師感到很深的挫折感。泰勒即是一例。

學校很努力幫助泰勒，每週安排「執行功能」（EF）訓練課程，教會孩子一系列不同的能力，包括推理、問題解決、彈性思考、計畫與執行，以及有效的一心多用。如果你曾看過孩子專注學習新的遊戲規則、輕而易舉從一項作業轉換到另一項作業、拼出一個樂高模型，或是在拼樂高模型時沒聽到你叫他吃晚餐，此時你就正看到孩子在使用執行功能。

執行功能訓練可以教會孩子記筆記、研讀及分析課本、寫作規劃、準備考試，或是時間管理。這項珍貴技巧，也證實對有學習缺陷的小孩幫助極大，還能降低讀書、寫作

＊譯注：後設認知指的是一個人對自己認知歷程的知識、覺察與調適能力，具體來說就是孩子在進行認知類型的學習時，清不清楚自己在學習什麼、有無能力反思自己是如何在學習，甚至進一步調整自己的學習方式。

及考試的壓力。但是這幫不了泰勒，儘管辛西亞每晚都認真陪他練習，但似乎都沒有發揮效用，他們倆也愈來愈害怕每晚的練習時間。

問題在於，泰勒在認知領域遇上的困境，是極為根本的問題。在自我調整的每一個領域，除非已有堅實根基，否則我們不會著手處理「更高的」階段。所以，在思考泰勒的衝動與高度注意力分散之前，我們得先了解他吸收及處理各類感官訊息的能力，到了哪種程度。

孩子無法專注的問題，可能源自生理、情緒、認知、心理及社交各層面。執行功能的訓練對某些孩子有效，但老師們經常告訴我，有極大比例的學生無法受益。為什麼？很大的原因是，這些計畫或是練習，預設了一定程度的認知能力，但許多孩子、甚至青少年都還沒達到這個程度。換句話說，在我們想著如何修枝剪葉之前，需要先給根部養分。

處理認知問題的根源，而非結果

在拉森（Gary Larson）的漫畫《遠端》（*The Far Side*）中，有我最喜歡的一則作品裡，他比較了「我們對狗兒說的話」及「狗兒聽到的」。

漫畫中有個男人正在罵他的狗金姐兒。他如連珠炮般訓了金姐兒一頓，要她離垃圾桶遠一點。結果狗狗只聽到了：「嘰哩呱啦，嘰哩呱啦，嘰哩呱啦，金姐兒，嘰哩呱啦，嘰哩呱啦。」要了解認知的根源，這是個不錯的起點。

事實上，許多有注意力問題的小孩，聽到的甚至不是「嘰哩呱啦」，而是「嘰嘰嘰哩哩哩呱呱呱啦啦啦」一長串連成一氣的聲音。所以你給孩子的簡單指示：「在你出門玩之前，把玩具撿起來」，就會變成「哉膩粗悶彎資千吧彎居間七賴」。

孩子在分辨語音的細微差別時，譬如注音符號的聲調變化，往往會有困難。或者你說「出」，他會聽成「粗」。他們遇到的困難，就像你在聽外國話時，也會分不清其中的細膩之處。這不是因為你沒有專心聽外國人在講什麼，而且你愈聽不懂，就愈不想聽。並不是你聽力不好，而是大腦聽覺中樞對這些聲音並不熟悉。對某些人來說，即使是在聽自己的母語，大腦語言中樞處理語言的聲音時，也會出現問題，遂使他們難以理解別人說的話。

泰勒的內在感官出了很大的問題，再次強調，這種情形並不罕見。他在玩如「賽門說」的簡單遊戲遇到很多困擾，而且很快就不想玩了。這使他的問題看起來像是與動機有關，以為他不想認真玩。但是當我們仔細觀察，便看得出來他在模仿別人做的動作時有困難。

辛西亞每天跟孩子一起生活，早已發現他有這樣的狀況，但直到現在，她才了解這是模式的一部分。泰勒從很小的時候，就一直有行動困難，至今要他單腳站立，或是在平衡板上多待幾秒鐘，都相當不容易。他不管是坐下或站起來，都顯得動作笨拙，而且似乎會因為其他小事，而沒意識到身體的狀況。他會冷得發抖，卻需要媽媽提醒他把毛衣穿上。即使她知道他已經餓了，她還是得盯緊他才會吃飯。至於上床睡覺，他似乎從不知道自己累了，儘管媽媽看得出來他早已精神不濟。

每一個進行自我調整的孩子，起點都是幫助他感到舒服自在。對泰勒來說，便是跟他玩能幫他注意肌肉及關節訊息的遊戲。

泰勒在協調行動與語言上有困難，所以辛西亞會跟他一起玩遊戲，幫助他學習協調能力。跟孩子玩一些經典的兒童遊戲，如「紅綠燈」，會很有效。這些遊戲不但好玩，還能讓孩子具體經驗到認知歷程。孩子需要這些認知歷程，來處理思想、動作及聲音表達，並且能帶著自信，在周遭空間中移動。這類遊戲是在**處理注意力的根源，而非注意力不集中的後果。**

千萬別以為只有年紀小的孩子才需要遊戲。你家的青少年雖然已不再有「孩子樣」，並不代表強化大腦與身體連結的活動，就對他沒有幫助。這類活動對每一個人都有幫助。有些青少年在某項注意力根源有難以察覺的缺陷，卻因為其他能力，譬如記憶力很強，而彌補了缺陷。可是，有時候光靠記憶力應付不來，這是為何不時就會看到有些青少年小學時過得很輕鬆，到了國高中，卻突然出現注意力問題。

加速認知引擎，開上人生高速公路

新生兒必須理解來自身體內外亂成一團的「資訊」，也就是出生前從沒經驗過的全新感受。他們登錄或處理不同感官訊息的方式，明顯受到生理的限制，或許會因此筋疲力竭，使他們更難理解被威廉・詹姆斯（William James）描述為「刺刺不休的花花世界」。

要想了解孩子在認知領域根源面對的難題，尤其是因生理狀況而很難專心的孩子，請你先設想在以下情境時，會有怎樣的感覺：

- 不用扶手走下很陡的階梯。
- 用不習慣的那隻手寫字或打網球。
- 電話收訊不良，只能斷斷續續聽到對方說話。

這類情形，都是孩子面臨的挑戰。有些孩子每天都活在上述狀況中，卻令人誤以為是注意力出了問題。當孩子無法登錄或理解感官刺激，他會感到焦慮，任何人都會，因為他無法信任自己的感官，也不知道該怎麼辦。

嬰兒如何找出模式

有了固定模式，會使世界更容易預測，也比較不令人感到驚嚇。嬰兒愈能辨識出模式，就較不容易害怕，也較能融入世界。嬰兒一直在觀看及聆聽周遭的種種模式。舉例來說，嬰兒會開始不只聽到聲音，還聽出聲音之間的停頓，以及聲音的出現方式。她會開始聽出每一個字音，像是「ㄅㄧㄝˋ」「ㄆㄥˊ」「ㄌㄜˊ」「ㄙㄜˊ」，並且辨識出當爸爸這麼說時，音量變大了，還伸出手指比來比去，以及他說這話時的臉部表情。

能夠辨識模式，才有能力清楚自己的感覺是什麼，並有意識的回應環境。孩子能告訴別人想要什麼，或者移動身體做想做的事，像是拿東西吃、撿起玩具、走路、停下來，或者離開。這樣的認知根源，使孩子開始能從自己身上，也從爸媽那裡，看出因果關係，或者辨識出情緒與行為之間的連結。

辨識模式的能力愈好，愈可以有效降低孩子的壓力，使孩子安心，大腦就能停留在學習狀態，對周遭世界敞開，並保持興趣。反之，當孩子無法理解經驗、處理訊息，大腦就會切換到生存模式。認知根源不僅是在理解「刺刺不休的花花世界」，同時還能創造出孩子所需的穩固根基，去找出更多複雜的模式。

有認知問題的孩子，往往是因為沒有穩固根基，好參與並探索周遭世界，以及內在世界。在這種情況下，孩子唯一能保持穩定的方式，便是將大部分轟炸感官的訊息阻擋在外。

這些根源的發展，並非全然按照基因的先天規劃。間腦的主要功用之一，便是在這個過程協助孩子。你本能上就會幫助不知該怎麼辦的孩子，你會把事情簡化，並在他努力解決問題時支持他。這種學習方式稱為「鷹架支持」（scaffolding）＊，對任何類型的學習都很重要。然而，要加強模式辨認，需在很早期就搭好鷹架支持。

你會盡力保護寶寶，防止感官超載，當出現「撞擊聲」時，你會讓寶寶平靜、穩定下來。你觀察寶寶的狀況，調整你給他的刺激強度或清晰度。譬如，我們都會改變自

＊ 譯注：鷹架理論是由蘇聯心理學家維高斯基（Lev S. Vygotsky，一八九六—一九三四）對認知發展所提出的理論。他認為猶如蓋房子時會先搭鷹架，兒童最初應在成人或同儕的支持下學習，等兒童的能力漸漸增加，便可減少社會支持，將學習責任逐漸轉移到兒童身上。

己的聲音，以找出似乎是寶寶最喜歡的語調或音量。因此人們才會發展出「兒語」（baby talk）。在每一種文化中，父母親都會不自覺調整跟嬰兒說話的方式，以幫助嬰兒辨識出語言模式。我們會強調「巴」及「趴」的差別，或者用誇張的嘴形說話，好讓寶寶不只聽得到、也看得出差別。像這樣結合視覺及聽覺資訊的方式，對只擅長某種感官處理方式的孩子，格外有幫助。

當孩子學習自己坐起來或走路時，我們會給予多方面的支持。我們會給孩子「惜惜呼呼」，幫助他們學習在不同地形上跑步。我們會在腳踏車加上學習輪；用溜冰椅幫助他們學習溜冰，或給他們套上游泳圈，幫助他們學習游泳。我們在他們吊單槓時給予支持。

或許我們犯下最大的錯誤，就是假設孩子不需要我們支持，就能靠自己學習專心。每一個父母，都夢想孩子能安靜坐在餐桌旁寫功課。但是，有些孩子就是需要幫忙才辦得到。

認知根源的主根

喚起調控不只是區區一種認知根源，它還是主要的根源，負責供應養分給其他小根、側根。試想，寶寶要動手或動口做到他想做的事，或者當他跟地心引力對抗、努力坐起來或走路時，過程中燃燒了多少能量。當他試圖理解你的動作，弄清楚你臉上無數的表情及聲音語調時，同樣消耗了很多能量。

每一個孩子都有些認知根源是比較弱的。有的孩子在聽課或閱讀時會遇到困難，有的孩子則不容易掌握新的數學概念，或遊戲場上的規則。每個人都會避開令自己受不了的活動。當我們累了、壓力過大時，「弱點」通常會更加明顯。孩子跟青少年也是一樣。他們的認知問題，很多是因逃避而起的。

孩子承受的壓力愈大，在某根源出現的問題就愈明顯，接著又造成孩子整體壓力上升。因此，孩子在認知初期便陷入壓力循環，以致在早期要辨識模式時，像是小學一年級教到閱讀課本上最簡單的句子時，辨識字母及單字的能力出現問題，就會造成壓力，導致能量流失。這又使辨識模式的認知缺陷惡化，以此類推。

壓力增加也會妨礙或降低感官覺知。我曾發現有個小女孩，當我陪她寫老師出的數學作業時，受到我電腦的風扇噪音干擾，幾乎無法把注意力集中在數學問題上。當我關掉電腦後，幾分鐘之內，她就解出答案。

慢慢來，更快學會專心

遇上有注意力問題的孩子，我們不會要求他馬上就做減少分心、或改善計畫及處理能力的練習，而會先提升他們對身體的覺知。孩子要能專心，需從這裡著手。

各種簡單的練習與遊戲，能幫助小小孩發展身體覺知。舉例來說，要孩子模仿動物的肢體遊戲（假裝你是大象，擺動大鼻子；假裝你是田鼠，趕快去避難），或者調整發聲方式（假裝你會獅子吼；假裝你像老鼠吱吱叫）及說話模式（以最快的速度說話；以最慢的速度說話）。其他跟手部運動有關的活動（拿砂紙磨木頭；輕撫填充玩偶）；觸覺的體會（閉著眼睛分辨不同種材質）；嗅覺的體會（用鼻子聞不同種精油）；或是分辨不同的味覺（類似《哈利波特》柏蒂豆全口味糖果，毫無疑問，這深受大部分孩子喜愛）。這類遊戲不僅能幫助孩子熟悉不同種活動或進行調整，還能幫助孩子在做這些事情時，覺察到自己的感受。

以下有四個基本方法，能將孩子的注意力帶到內在經驗上：

- 把速度放慢，譬如你說出的話、與孩子的對話、跟孩子的日常互動，尤其是你給他指示時。

- 加重刺激強度，譬如聲音或視覺，讓你的孩子能完全接受到。另一方面，也降低可預期會觸發孩子警覺反應的刺激強度。
- 將想法或指示，分成更細的步驟，讓孩子一次只做一小部分，或只吸收一部分訊息。
- 當身體活動或刺激性遊戲幫助他釋放張力、感覺更平靜時，幫助孩子覺察到此時的狀態。之後詢問孩子，感覺自己像是機器人（僵硬或緊張），還是布娃娃（放鬆）。

尤其像泰勒這種有顯著缺陷的孩子，幫助他意識到來自身體感受器的感官資訊，特別重要。在肌肉、肌腱、關節及內耳末梢的感覺神經，會將他的姿勢及運動資訊傳遞給他。他需要我們慢下來，強調我們要他練習的動作，我的意思是真的慢下來，直到他可以感覺到與動作有關的不同身體部位，以及自己的動作節奏。在過程中，還必須用有趣的方式來做，才不會觸發他的警報系統。

有同事告訴我，她去過一間瑜伽中心，那裡完美呈現出慢下來能強化身體覺知。

課程步調極為緩慢，重點在做出動作的形，而非企圖挑戰嶄新困難的姿勢。特別是，課程的指示與動作，都集中在深化對腿部重量的覺知，以及過程中腿部姿勢的改變，並在腿部肌肉慢慢對抗地心引力時，將注意力放在肌肉張力上。這就是本體感覺能力在發揮作用，但是它對認知功能的重要，很容易遭人忽略，因為本體感覺似乎完全是種生理功能。我同事注意到當課程結束時，她感到無與倫比的冷靜輕鬆。

習以為常的活動，其實都耗費極大能量

太空人曾描述返回地球有多麼痛苦，因為必須重新經驗到地心引力的拉扯，就像揹著沉重的後背包，或是將腳踏車推上陡坡。

平常我們太習慣於抵抗地心引力，以致都忘記，為了維持直立姿勢，我們得繃緊多少條肌肉。我們太習慣於隨時隨地揹著沉重的背包，以致根本沒注意到背包的存在。即使我們只是坐著，我們用來坐直身子的軀幹、上背部、肩膀及頸部的肌肉也是緊繃的。在寶寶頭一遭學會坐起來時，他完全經驗到坐直身子要耗費多少力氣，正如愛抱怨的青少年一大早要把自己拖下床時，也是很不容易的。

二十多年來的研究及幾千年來的冥想傳統，都支持正念對於心跳率及其他與鎮靜效

果有關的重要器官，有積極的作用。但為何如此？有部分答案在於，關注身體有恢復健康的效用，能釋放神經傳導物質乙醯膽鹼，不僅可降低心跳率及促進快速動眼期睡眠（REM），還對注意力的維持至為關鍵。

這並非是說所有在運動方面有注意力問題的孩子，都會喜歡做「慢動作」瑜伽；有些孩子只有在做強力瑜伽時，才會振作起來，有許多孩子則一點也不喜歡瑜伽。我們仍要留心個人差異。

重點不在找到一個神奇公式，就能幫助孩子發展身體覺知，而在於你們倆要一起想出適合的方法。

焦慮、分心、無法學習，不是單一問題

人們早就知道焦慮會嚴重影響孩子的注意力。從自我調整的角度來看，壓力變大會使我們耗掉過多能量，導致能用來專心的能量所剩無幾，這一點更是顯而易見。

注意力是全身性現象，與肌肉及心智皆有關。用幾分鐘來觀察孩子投入一個問題中，便可看到當孩子用腦力專注處理問題時，他全身都是緊繃的。我曾聽到一位老師對數學課的同學說：「舉重的時刻到了。」當我看到學生們咬緊牙關、皺起眉頭解題時，我心

想，這比喻還真是貼切。

甚至高度專心會讓我們焦慮。我指的不是解不出問題所造成的焦慮，而是此全身性現象的生理後果。無論我們處於低能量／高壓力狀態，是源於情緒問題，還是過度專心所致，結果似乎大致相同。

當我們在學校進行自我調整時，我們有個通則：孩子能專心的時間長度，就跟他的歲數一樣多。但是當然，凡事總有例外。有些孩子不管在哪裡，就是無法像你想的那樣專心，但有些孩子似乎總能一直保持專心。

無論如何，所有孩子的共同點是，在超過某個時間長度後，不管是多長的時間，你就會看到邊緣系統已經點燃的孩子，出現同樣的情緒及認知問題。他們開始沒有動機學習，除了電玩以及被大人認為是「懶惰」的行為之外，他們對任何事都不感興趣。

動機是一回事，能量又是一回事

「動機」是晦澀難懂的名詞，通常人們會將之定義為「激勵、活化並管理行為的心智行動」。但這一大串字其實只是在說，動機是推動孩子行動的因素。

嘗試為「動機」下定義，意義不大，在我們想太多之前，真正的重點在於，當孩子沒有「能量」時，要「激勵」孩子，相當困難。

能量與動機，密不可分。「瓦斯罐裡的瓦斯」愈多，孩子的動機就愈強。能量低落，則會降低動機。就是這麼簡單。孩子的壓力愈大，能量就流失愈多，也愈不可能專注在有挑戰性的任務上。身體的壓力源總是跟疾病、睡眠不足、營養或身體活動有關。友誼、其他社交或情緒壓力，也會影響動機。

除了看不出模式會造成壓力之外，在認知領域還有個共同的壓力源，是要孩子在精通基本技巧或概念之前，就要他解題。你不會期待孩子在學會字母之前，就能讀書，也不會要孩子在學會加減之前，就懂得乘除。在面對學習挑戰時，孩子在每一個認知發展階段，都需要「鷹架支持」，才會感到平靜自信。在孩子的發展程度尚未成熟之前，就給孩子超出認知程度的任務，肯定會出現注意力問題。

其他常見的認知壓力源還包括：一下子給孩子太多資訊或太多步驟；沒有清楚呈現資訊；或者，沒有用有趣的方式呈現資訊；講解教材時太快或太慢。

我們經常發現，嚴重缺乏動機的孩子或者青少年，長期處於高度喚起狀態。他們常用電玩或垃圾食物往上調整自己，我們會在第十一章看到，這麼做只會讓內在的能量流失更多，也因此更缺乏動機。

這並非是說，開始做自我調整之後，孩子就會突然對生命充滿熱情。但是，光是改變對孩子行為的觀點，就會對孩子的動機產生強大影響，因為孩子會注意我們對他的感覺，不管我們有沒有說出來。然而，人們還是很容易將沒有興趣學習的孩子，視為是懶惰、散漫的「低成就者」。

泰勒是個典型的例子，油箱已經空了，只得靠著些許油氣繼續往前開，才會出現這麼多問題。他的副交感神經系統，來不及處理交感神經系統製造的問題。一旦辛西亞開始對他做自我調整，也就是弄清楚為何他會持續燃燒腎上腺素，她便能減少許多令泰勒注意力問題惡化的壓力源，而非只在表面應付那些症狀。對泰勒尤其重要的是，降低他所處環境的「視覺干擾」。牆上的雜物愈少、愈乾淨簡單，他就愈能專注。

當然，有時候孩子不專心，只是因為受到了打擾。所以我們需要學習分辨，什麼時候孩子的不專心是因為受到打擾，什麼時候又是因為缺乏能量，而無法集中注意力。

恐懼當然能逼孩子及青少年試著努力，即使是已經沒勁時，但這會使他們的心智及身體健康，都付出極大代價。恐懼會使他們動用大量儲備能量，在接下來的章節中，我們會看到這麼做所造成的負面後果，即使不是當下立見，隨後也會顯現。

「坐好，專心！」沒有用，不如「起來走一走，動一動」

當孩子容易分心時，我們當下會要他努力更專心點，但這可能剛好適得其反。

自我控制的咒語，會要問題兒童「坐直」、「不要亂動」、「安靜」、「專心」。但是在許多情況下，對於這類孩子，我們應該說：「起來走一走，動一動，哼出聲音來，閉上眼睛。」找出什麼方法有助於孩子專心，就怎麼做。

當然，一開始要先讓孩子學到有助於他感到冷靜的方法。在前幾章，我們提出的各種休息與恢復策略，在此處也完全適用，像是睡覺、調整飲食、做運動，及降低環境壓力源。

除此之外，在認知領域，我們更需要做的是探索「積極的」恢復策略，持續付出注意力，也會降低壓力。這包括了愉快的閱讀、聽音樂、烹飪、賞鳥，還有在大自然裡散步。但是每一個孩子都必須學習有助於自己專心的方法，有時他們找出的方法會令我們意外，與我們認為他們應該做的事，恰好相反。

你家小孩說，他做功課時需要聽廣播，或許他真的需要音樂的喚起效果以向上提升，進入冷靜專心的狀態，好好做完功課。躺在沙發上不想寫功課的孩子，或許不自覺正在減少他用來使身體坐直的能量；她既放鬆又警醒，她正在釋放出更多能量，讓自己有辦法更專心。堅持拉起所有窗簾、在昏暗的光線下寫功課的孩子，或許覺得視覺刺激使他能量流失。

父母必須放下某些假設，或許你認為孩子就應該坐直、光線要充足、寫功課的地方要安靜。這或許適用於你，或者你小時候需要這麼做，但是對你的孩子卻不見得管用。

不見得每個孩子都要用一樣的方式，重要的是，什麼方法對這個孩子行得通。

在日常生活中，當有壓力源使你或你家孩子很難維持注意力時，即使只是幾分鐘的冥想，或是專注在鼻腔吸入的冷空氣、呼出的暖空氣上，也能讓你們再度拉回注意力。正念時刻會提供短暫的休息片段。但是，請不要因為你讀到有很多小孩受益於此，就假設你家小孩也同樣受益。如果他沒有做過這些練習，也別強迫他坐直身子、不要亂動、好好冥想。

間腦在注意力及學習的重要性

之前我們看到孩子在發展模式辨識技巧時，間腦扮演了關鍵角色。但是，對於先前提到的執行功能，間腦當然也是不可或缺的，譬如忽略分心事物、讓思考有序可循。

此外，我們也要謹記在心，間腦動力不只發生在孩子與父母之間，在孩子與他生命中重要他人之間的互動，也同樣存在。間腦不見得能減緩孩子的注意力問題，在注意力問題上，孩子遇到的重大挑戰經常是間腦造成的，尤其是在學校環境裡。老師會焦慮或生氣。教練變得沮喪。其他孩子對他感到不耐煩，或者對難以融入人群或課堂活動的孩子失去興趣。

孩子愈是焦慮或沮喪，與他互動的人們就愈容易火大。所以，當其他人給孩子增加壓力時，孩子便會感到儲備能量流失更多，然而，身為家長、老師、教練或朋友，我們應該要能幫助孩子面對壓力。能夠專心的能力跟調控情緒的能力，都是間腦的功能。所以，我們如何回應孩子，對孩子的專心程度至關重要。

這不僅僅只是額外騰出時間，教導孩子後設認知技巧。最重要的是，我們是否有減少孩子的壓力及感官刺激，從能量的角度來改變能量／壓力平衡。為了做到這一點，必須設身處地為孩子著想，試著真正去理解孩子的感受。

沒有這關鍵的第一步，我們便會在無意間增加孩子的壓力負荷，甚至還誤以為我們是在幫助孩子。譬如，近年來發現許多注意力不足過動症的孩子，在用以維持專心的大腦部位發展得比較緩慢。要了解這當中的因果關係，我們還有好長的路要走，但是此項研究讓我們進一步看到，將對於正常發展孩子的認知要求，加諸在注意力不足孩子身上，會給他們帶來壓力。

研究也發現，有注意力困難的孩子，常是在比一般孩子更快的時間尺度上運作。我曾問過一個有注意力不足過動症的成年友人，她在成年之後，終於為了注意力不足過動症而開始服藥，突然間，她感到每一件事都「慢了下來」。這是她有史以來頭一回感到「跟世界同步」，壓力也降低許多。

要搞清楚孩子認知結構中的細微差異，或許不可能，不只是你家小孩，任何小孩都不可能。我仍舊不確定自己是否全然了解泰勒的需求，我所了解的是，他承受了很大壓力，所以才會逃進掌上型遊戲機，尋求安慰。

為了幫助他，我們跟他媽媽及學校老師們一起找出方法，讓他獲得平靜。這些方法乍聽之下，或許簡單到令人驚訝。**要讓孩子保持冷靜，所需要的只是令他感到心安的聲音或表情。**一旦學校老師了解這點，並且看到這些做法對他產生的影響，老師們就覺得很容易做到。對泰勒來說，這會讓他覺得自己並不孤單，在他有需要時，有個關心他的成人會在他身邊支持他。

不過，正如我一直強調的，**自我調整的重點在於自己**。泰勒的媽媽及老師們發展出各種有效的技巧來調整泰勒。要如何幫助泰勒學習自我調整呢？到最後，這是每一個家長的問題，尤其是學校作業，如何才能讓孩子安靜坐在桌前寫功課，無需盯著他們把功課做好呢？隨著孩子逐漸成長，從小學、中學直到高等教育，孩子在學業上的挑戰會愈來愈大，要如何擁抱挑戰，而非逃避？如何在不過分影響孩子專注的情況下，抗拒會帶走注意力的誘惑及分心事物？

孩子可以強迫自己安靜，但仍難以冷靜

對於注意力有問題的孩子，重要的是他要能意識到自己身體內部與周遭的狀況。這意味著，他要能覺察自己的生理狀態：是不是餓了、渴了、累了、還是很熱？以及，譬如他要能覺察到自己何時、又為什麼會很想打電玩。等關掉電玩之後，他要能體會剛剛做的事帶給他什麼感受。同樣重要的是，在某些活動能讓他提振精神、恢復能量時，他能了解那是什麼感覺。

覺知有許多種類：身體覺知、情緒、視覺—空間、時間、行為及感覺動作。重要的是把事情慢下來，好讓孩子能注意到感覺、念頭及因果關係。然而，在孩子需要發展出的覺知種類中，最重要的或許是冷靜的感覺。正如我們在前一章所見，安靜跟冷靜、平

靜的身體狀態截然不同，但孩子通常都會把「冷靜」的意思聽成「安靜」，深感挫折的父母親或老師說的可能也是這個意思。但是這兩種狀態並不一樣。

孩子可以強迫自己安靜，儘管他內在翻騰不已。冷靜則是因身心壓力獲得釋放、並且體會到此釋放而產生的愉悅感。冷靜的狀態涉及生理、情緒及認知，有助於能量的恢復與成長，使思考歷程與學習得以發生。

正念冥想練習的好處之一是，它能讓我們專注在許多容易遭到忽略的感覺，譬如腳踩在地板上的感覺、房間裡的氣氛、我們的情緒狀態等。通常，我們會對內在及周遭世界視而不見，就像我們會忘了肩上還揹著背包。

把混亂狀態當成是常態

難以專心的孩子，會漠視自己內在與周遭的狀態，這種情況往往源自他們在嬰兒期時，從未完整發展出發現模式的能力，無力將混亂轉為有序。

在來自各種感官的資訊流中，有嚴重注意力問題的孩子或許從未體驗過冷靜的感覺；相反的，他們習慣於將內在混亂當成是常態，他們的行為也會反映出這一點。除非他們真的經驗到冷靜的狀態，否則完全不會知道那是什麼感覺。一旦他們經驗到，下一步就是幫助他們發展出自我覺知，辨識出自己何時需要冷靜，又要如何做到。

在我們跟孩子一起進行臨床工作時，很早就察覺到，最大的錯誤就是使用過多抽象語言。一開始，你必須用非常簡單的語言及概念，讓他們能聽得懂（空油箱、滿油箱，或者一次跑太多程式時，電腦就會當機），或者可以使用玩偶，如紅髮布娃娃安妮及巴斯光年，然後問孩子，他們感覺像是布娃娃安妮般柔軟，還是像巴斯光年一樣僵硬。

另一個超級重要的發現是，孩子經常要先冷靜下來，才會察覺到「肚子痛痛的」、或「手腳麻麻刺刺的」。當孩子處於低能量／高壓力時，你問他身體感覺如何，通常你得到的答案會是「沒感覺」。令人驚訝的是，連大一點的孩子及青少年，也會有同樣反應。等他們開始冷靜下來，就會突然說胃好像打結了，而且「好像一直都在打結」！

當你在做自我調整時，你會嘗試用不同技巧，來觀察孩子的臉部表情與身體反應，看哪一種方式會讓他冷靜下來。泰勒發現，有件事會讓他冷靜下來，那就是他媽媽用力幫他搔背或強按頭部時的觸覺（他討厭任何一種輕柔的觸摸）。最重要的一點是，他注意到按摩對他的頸部、肩膀、軀幹及腿部產生的效果。

當人們辨識出給泰勒造成壓力的原因，盡量減少壓力來源，並讓泰勒主動參與之後，這些做法讓泰勒放下了手中的電玩。缺乏身體的覺知，泰勒就無法到達自我調整的最後階段：知道何時休息及恢復能量，並清楚用什麼方法來做到。

安全感的重要

幫助任何孩子或青少年從生存腦轉換成學習腦，最重要的因素是要讓他感到安全可靠，無論是在生理、情感及學習上都是。我十分相信孩子要將很多時間投入大自然中，方有助於這些系統的發展。然而，當我帶著一群青少年，走進我家小孩從小生活的那片森林裡時，我發現有些孩子需要很多幫助，才能在大自然裡感到安全可靠。

這群青少年，男女都有，他們會被松鼠嘰嘰喳喳的聲音、樹梢間小鳥造成的沙沙聲、昆蟲嗡嗡叫的聲音給嚇到，但我家孩子從未對這些聲音感到困擾。這群青少年覺得大自然很陌生、很可怕，小心翼翼走過先前我家孩子奔跑追逐的林地。不過，我家小孩畢竟是在這片林子裡長大的。天知道他們絆倒過多少次，又有多少次衝向我，要我將他們抬到肩上。他們用這樣的方式，從自己的經驗中（不需要人指導），學習到如何適應來自腳底與腿部的感覺。

對這些青少年來說，攀上樹幹、爬下岩石，或者走過草長及膝、看不到地面的草原，都會讓他們感到焦慮。不確定自己的腳踩在哪裡，讓他們不知所措。他們無法離開生存腦模式，當我們終於走回停車場時，他們顯然鬆了一大口氣。他們不但沒有受到大自然的滋養，反而覺得這趟森林之旅是一大考驗。當他們返回城市，就立刻退回讓他們感到安全的密閉空間，這是一個充滿人工刺激、幾乎不需任何體力活動的世界。

動物之所以能在藏身處休養生息，正因為那兒讓他們感到安全。孩子也需要同樣的安全感，這或許也是泰勒教給我們最重要的一課：他沒有藏身之處！並非他的學校不安全，或者在他有需要時，家裡沒地方讓他休息，而是他無法從自己的身上獲得安全感，而且我猜想，他從未體驗過這樣的感覺。

幫助泰勒融入世界

這正是為什麼，要幫助泰勒之前，要從先前提過非常簡單的遊戲及練習著手。有時候，甚至更基本的事情也會有幫助，譬如要他感覺自己正坐著的椅子，或是正站著的地板。目的是要讓他意識到來自於本體受器的訊息，這樣他才能活得踏實，不論坐著或站著，都能感到心安。

有助於自我調整的呼吸練習，似乎是個好主意，可以跟泰勒一起練習。這類練習很簡單，許多老師將這些平靜時刻融入學校生活中，帶來很好的結果。不過，要兩腿雙盤成蓮花坐姿，並專注在呼吸上，只讓泰勒感到更加不安。

他們還試過其他好玩的遊戲，幫助泰勒發展身體覺知，最後他們發現他喜歡跳舞。當泰勒放在回家功課上的注意力開始減弱時，他們會讓他玩一會兒，帶他做運動、感官遊戲，還有跳騷莎舞！

辛西亞及泰勒的老師還減少了多餘的視覺干擾及噪音，大多數人或許不會注意到的事物，卻會觸發泰勒的警報反應。無論如何，最後泰勒發展自我覺察的動機必須完全出於內在。他必須學習不在乎鳥叫聲或是社交線索，而只要關照自己的身體狀態及需要。

正如學習舞蹈的目的，是要幫助孩子在跳舞時注意到自己的感覺，與孩子在餐桌上一步步動手做東西，也會對注意力的根源產生同樣的效果。從雜誌上撕下照片及顏色，再拼貼成畫，或者從頭開始自製麵團（測量重量、混和、用手揉麵及塑形），都不只是有創意的活動而已。在工作中的自我調整科學，是能幫助調整孩子意識的活動，使孩子注意到能協調動作與姿勢的內在感官訊息。

正如在正念瑜伽課程裡，關鍵因素在於慢下來，並清楚做出你想要孩子練習的動作，這就跟你會為了有語言障礙的孩子，刻意唸清楚字的發音一樣。要真的把動作慢下來，慢到孩子能感覺到與動作有關的每一個身體部位以及節奏。

當然，泰勒是個特殊例子，他一生下來，就面對許多感覺動作上的挑戰，使他很難投入培養身體覺知的活動，每一個孩子都會經歷這些活動。但是泰勒教給我們重要的一課是，每一個孩子都需要感到安心，不只對自己踏出的每一步感到安心，還要對發生在他身上的事情，尤其是發生在他內在的事情，感到安心。孩子在新環境的安全感愈強，就愈能注意到內在及周遭發生的狀況。

意識覺醒

泰勒十二歲時，在自我調整及注意力方面，已有長足進步，讓他可以停止服藥。我們從未要他斷藥。但是，他一直很討厭吃藥造成的效果，同時他的年紀也夠大到，可以發展出所需技巧，監控自己的喚起狀態，並辨識出何時需要採取步驟，讓自己冷靜下來。

我自己還從泰勒身上學到重要的一課，而且或許是最重要的一課。在最後一段療程中，有一回我說話時，泰勒在房裡走來走去。我承認我有點不高興，於是我脫口而出：「如果你根本不看著我，我解釋這麼多，有什麼用？」接著，他把我剛才說過的每一句話，一字不差說給我聽。一開始，他完全不是這個樣子，但是現在，他開始接納這世界，只不過，跟我期待中十三歲小孩的舉止不一樣。

我愈了解泰勒，就愈明白要了解一個孩子，或者我們自己，是永無止境的一堂人生課。這一點同樣適用於與所有孩子的互動。我們往往如此自以為是，假設孩子看世界的眼光跟我們一模一樣，不只是看到的細節跟我們一樣，連他們的判斷及態度也都與我們如出一轍。

如果我們給孩子機會描述他們的經驗，而且也能傾聽他們，我們會發現，他們的觀點跟我們如此截然不同。當我們能透過孩子的眼睛去看世界，或許會很訝異的發現，自己要學的還多著呢。但最重要的是，我們要真正看到且重視孩子的本質，而不是用某些個人或文化的標準來評量他們。

泰勒的外表及行為舉止，與同年齡的孩子大不相同。他走路有點內八字；褲頭拉得太高；每天都穿一樣的襯衫；總是戴著一頂滑稽的帽子，還遭其他孩子訕笑，但他卻認為那頂帽子很酷。有時候，他問的問題真的很奇怪，而且會一直問到你思考這些問題為止。他並不喜歡大部分同齡孩子做的事。他確實有結交幾個朋友，儘管為數不多，但他們看起來似乎都跟他一樣怪。跟沒見過的人碰面，會給他帶來很大壓力；當他認識你之後，他絕對會讓你感到很愉快，但他若是不認識你，你就很容易就會被他惹惱。

關於泰勒，我想得愈多，就愈疑惑：我們究竟想達成什麼目的？肯定不是想讓泰勒跟其他孩子一樣，讓他「更加正常」。不，我們希望他能經驗到平靜、警覺與學習是什麼樣的感覺，並且知道自己何時是緊張的、何時已能量盡失，要如何恢復能量，以及學習知道何時自己的警報系統響起，如何靠自己的力量關掉警報。很多時候，我們往往把自己的需求誤以為是孩子的需求，**我們想讓泰勒這種小孩變得更好管，而不是讓他自己管理自己**。

在我眼裡，泰勒仍像一隻蜂鳥，精力無窮。他「短暫的停留」，突然的著迷，維持時間從一個禮拜到幾個月不等，反映出一個孩子渴望學習，也有能力學習。我會稱這種人為「知識雜食者」，不斷發現想吃的東西，也不斷消化新的興趣。但是他已經更懂得休養生息，也因此，他比以前更快樂、更會笑，多半時候都很開心。

沒錯，他的生活也有起起伏伏（這些日子以來，更多高潮、較少低潮），而且，是的，他還是覺得有社交困難。最大的差別在於，現在他知道自己何時變得焦慮，以及如何讓自己平靜下來。

關鍵的因素是，辛西亞跟他在家裡所做的自我調整。她定期跟他做自我覺知練習，一開始，她得很努力，才能讓他辨識出自己何時累了、餓了、冷了，甚至生病了。她很容易就看出這些跡象，但是要教泰勒也學會辨識，有時候會讓她感覺，他好像又回到了嬰兒時期；或許這就是重點。或許當時他沒有完全學會掌握這些覺知的重要面向，或者他忘記了。也許他承受了過大壓力，讓他在嬰兒時期學到的能力施展不開來。或許，他只是需要我們看到並支持他的本質，而不是針對他做不到的部分批評他。

過去曾有段時間，某些孩子被診斷為學習障礙，但他們真正的問題其實是聽不清楚老師說的話、看不清楚黑板上的字。當然，他們會分心，無法像其他同學一樣學習。他們可能會把自己的挫敗感表現出來，結果這些行為就變成問題行為。

有了正確的診斷，他們會去配眼鏡，或戴助聽器，情況就會大獲改善。回看過去，對這些孩子那麼嚴苛，或者完全忽視他們，似乎很不人道。但是今天，我們還是用一樣的方式對待容易分心或高度衝動的孩子，這些孩子之所以會如此，是因為他們的注意力根源受到了限制。

08

社交領域：社交發展的新觀點

孩子需要的不是學習技巧來參與社交活動，而是需要藉由參與社交活動來發展技巧。大人必須讓孩子感到安全，孩子才能在人際互動中習得技巧，參與更複雜的交流。

這間幼兒園，跟我參觀過的任何一間並無二致，同樣吵雜、開心、精力充沛。倒是有幾個小孩很有意思，我立刻察覺，他們的行為在告訴我一些重要的事；但我花了一點時間，才想出答案。

我首先注意到一個小男孩，當全班都在教室裡時，他一直拉著老師的裙襬。老師走到哪裡，他就跟到哪裡，但老師似乎沒有注意到他的存在。當我跟老師提到這點，她甚是訝異；他一天到晚黏在她身邊，以致她沒再把這事放在心上。

再來，是個專橫的小傢伙，他似乎認為自己是教室裡第二號總司令。我看著他告訴其他小孩，他們用錯了顏色，要他們如何握筆，或者何時要把著色簿拿開。他似乎從不鬆懈，也從不滿足於安靜做自己的事。第三個是個小女孩，自己一個人坐在角落讀書。

或者假裝讀書，一邊翻頁，一邊把看到的字讀出來。我看到有個教學助理走過去，站到她面前問她在讀什麼。那孩子的臉上閃過驚慌的神色，再度把頭埋入書本裡。

同樣是社交問題，不同的表現方式

看著這些截然不同的孩子，是件令人著迷的事：一個很黏大人；另一個不斷分派任務給別人；第三個不想跟大人接觸。在早上的課程裡，我盡可能謹慎關注他們。在孩子們聚在一起唱歌時，我觀察到一件有趣的事。老師將歌詞顯示在互動式電子白板上，讓孩子在開口唱歌的同時，還練習閱讀技巧。孩子們都唱得很開心，還大聲喊著接下來想唱哪些歌，除了這三個小孩之外。

我不確定問題是出在他們讀不懂、還是環境太吵了，或者他們跟不上班級步調；不管問題是什麼，很清楚的是，這三個孩子都覺得壓力很大。我看得出來那兩個男孩嘴裡念念有詞，偶爾他們會唱對歌詞（我用法文唱加拿大國歌時也跟他們一樣），而且不希望周遭的人注意到我其實不太會唱。同時間，那個小女孩已經躲到角落，彷彿這樣大家就看不到她。她整個過程都坐在那裡，眼睛盯著螢幕，一聲不吭，神情緊繃。

休息時間，這三個小孩跟著其他孩子走出教室，但沒有一個表情興奮。一直黏在老師身邊的小男孩，試著加入一群孩子，他們正在玩一隻躺在遊戲場上的髒襪子。根據我的理解，遊戲的一部分包含了看誰最勇敢，敢去摸那襪子。孩子們一個個靠近那隻襪子，伸手摸了一下，就尖叫著跑開。這個小男孩試圖表現出他跟其他孩子一樣樂在其中，但我猜想他跟我一樣，不知道這遊戲好玩在哪裡。其他孩子是傻傻的，但他看起來就是很彆扭。最令人難過的是，其他孩子根本一點也不關心他。不難理解他為什麼成天拉著老師裙子；他的社交喚起狀態一定高到天花板了。

第二個小男孩直奔中班的遊戲區，跟四、五歲的小孩一起玩。他們正在建造堡壘；或者該說，是年紀較小的孩子在建造堡壘，他在一旁發號施令。

小女孩自己一個人走開，去玩盪鞦韆，她低著頭，讓鞦韆慢慢晃著。有位老師看到她，朝她走去，拉起她的手，加入另一群孩子，他們正在玩鬼捉人。等老師前腳一走，這個小女孩又以最短的直線距離走回鞦韆處。在我觀察她的時候，整個下課時間她沒跟任何一個小孩說過話，下課時間一結束，她就安靜跟著同學走回教室。對於自己感覺到的社交喚起，她的反應是退縮，也避開她可能從身旁成人或其他孩子所獲得的支持。

這三個孩子在適應幼兒園的社交需求方面，明顯遇上困難。每一個家長都擔心孩子，是否能了解別人的感受與思考、結交朋友、清楚何時去找同學或老師尋求協助，具有良好的社交技巧。我們甚至在孩子會走路之前，就帶他們去公園或遊戲場，試圖教導他們學會融入人群。但是看著這三個孩子，很顯然還有更根本的事情要注意。

神經感知系統：連結人與人關係的神奇膠水

對某些孩子來說，掌握社交技巧易如反掌。有些孩子卻只跟爸媽、不跟其他小孩連結；有些孩子只跟熟識的孩子連結；有些則完全做不到。

間腦明明就會讓人的大腦與其他人的大腦連結，但這些孩子卻遇上社交困境，實在令人困惑。當然，我想了解為什麼連結出了問題，但更重要的是，要怎麼做才能幫助這些孩子。光只是跟那兩個小男孩說，要多看、多聽其他小孩在做什麼，一點幫助也沒有；強迫那個小女孩加入某個團體，也無法引發她主動加入的意願。

我們需要他人。我們的大腦需要其他大腦。不只是嬰兒時期需要，而是一生都需要。但同樣的，其他大腦也會對我們造成壓力。同一個現象，怎麼會有剛好相反的效應呢？答案即在於偉大的美國生理學家波吉思（Stephen Porges）＊所說的「神經感知」（neuroception）系統，這個位於大腦深處的系統，會監看他人及環境是否安全或偵測潛藏的危險。

我把波吉思寄給我的錄影片段放給家長及老師看，讓他們一瞥實際發生的神經感知。八個月大的男嬰艾默森，正目不轉睛看著媽媽。他笑得很開心，偶而還會笑出咯咯聲，當他媽媽突然擤鼻涕，他立刻變得警覺起來。但這只持續了一下子，媽媽出聲安慰他，還露出開心的笑容，他又再度咯咯笑。但突然間，媽媽又擤了鼻子，跟剛才一模一樣的過程再度上演。

這樣的過程重複四次，每一次都是同樣結果。接著，媽媽非常用力擤鼻子，他張大眼睛，表情既吃驚又恐懼，整個人用力往後退，若非嬰兒椅上的安全帶保護他，可能就會跌倒。每一次觀眾看到艾默森的誇張反應，都會哄堂大笑。這是個清楚的例子，可看到在還不會走路的嬰兒身上，戰或逃反應有多麼強烈。

我們常跟寶寶一起經驗到類似的事件發生順序。寶寶的反應是直觀的，並未經過有意識的判斷，而是由位於大腦中央的警報系統所控制。當系統判斷有危險，就會啟動我們在第一章看到的種種內、外在歷程，寶寶會張大眼睛及嘴巴，還會揚起眉毛，軀幹緊縮，揮動雙臂，擺動雙腿。當警報系統判斷為安全時，寶寶會收縮眼睛及臉頰附近的肌

＊ 譯注：一九四五年出生，知名的美國神經行為科學家，所做研究對於生理狀態及行為調控之間的關係貢獻甚大。

肉，放鬆身體，還會笑了出來。

關閉警報正是間腦的關鍵功能。寶寶的大腦額葉在生命早期發展極為強勁，讓人類有能力冷靜下來的系統就位於這裡。在媽咪第四次擤鼻子之後告訴自己，這是因為她感冒了；或者車子防盜器的警報聲響斷斷續續，只是因為運作不良。照顧者（外部高階大腦）在發展早期，必須扮演關閉警報的角色。她愈能持續溫柔扮好自己的角色，寶寶的「學習腦」就愈活躍，讓寶寶能處理如語言及臉部表情意義的訊息，更別提感冒及汽車防盜器警報了。

系統有好也有壞

但是神經感知有好也有壞，正如寶寶的表情及動作是自動反應，媽媽的反應也一樣。我在教學生「共同調控」（co-regulation）的概念時，讓他們看了一段錄影畫面。一位媽媽跟男寶寶開心玩著，兩人的姿勢、臉部表情及情緒都很協調。但是當寶寶拍打媽媽用力過頭時，她突然間生了氣，從兩人的互動中退出。寶寶立刻害怕起來，身體變得僵硬。媽媽看到寶寶這樣，又表現出關心之情，立刻露出溫和眼神，往寶寶靠過去。寶寶也做出同樣反應，身體很明顯放鬆下來，微笑再度掛上臉龐。

媽媽的每個臉部表情就跟寶寶一樣，都是自動反應。在一開始，兩人都露出愉悅的神情。照顧者是喚起的重要來源，她透過閃亮的雙眼、說話的節奏及語調，還有她對寶寶的憐愛，往上調整寶寶，陪他吃飯、玩耍、學習。但是，當媽咪皺起鼻子與眉頭，寶寶的眼睛及嘴巴就張得大大的，並且揚起眉毛；媽咪縮緊眉毛與眼睛；接著，兩人又回到愉悅的表情，並對彼此微笑。這場細緻的雙人舞真是了不起，每一個細節都在母子臉上展露無疑，就在短短幾秒鐘內相互喚起，從生氣、憤怒、關心，再回到開心。

透過臉部表情、手勢、動作、身體姿勢及說話語調，他們不只讓對方知道自己的感受，也觸發了對方的感受。就生理上來說，他們由最佳的喚起狀態，暫時進入高度喚起，然後又回到平靜狀態。

很難用「相互了解」來描述以上歷程，這其實是更原始的共同調控過程，每一個人對另一個人的感覺，不管是行為或內心感受，都是自動反應出來的。事實上「心智解讀」（mindreading），也就是從身體語言了解他人想法或感受的能力，正是建立在此基礎上。

神經感知不只是能結合兩人的神奇膠水，還能將全人類緊黏在一塊。除了支持每一個人的共同調控及安全感，也會啟動處理威脅的內在歷程，產生外在行為，將苦惱表現出來。

當發現他人陷入苦惱時，此系統更會啟動我們的內在反應（邊緣系統會與對方產生共鳴），以及安撫苦惱中人的外在反應（面帶微笑，投以安慰的目光或手勢）。當系統平順運作時，就會產生安全的依附或友誼；若系統受阻或太常故障，便會對孩子的社交發展產生深遠影響。

每個人對社交威脅的反應都不同

觀看「面無表情」實驗的影片，跟看寶寶艾默森在媽媽擤鼻子時嚇壞了的影片一樣。「面無表情」實驗會令寶寶感到難受，而第三章提到卓尼克的實驗，則進一步證明了，「面無表情」實驗同樣會對大一點的孩子造成壓力，甚至對媽媽也是一樣難受。

卓尼克的一名研究助理做了「面無表情」實驗的改編版，她找來大學生分別擔任嬰兒及照顧者的角色。扮演嬰兒角色的學生回報，他們感到焦慮、挫折，甚至慌張失措；扮演沒有任何回應的母親角色者，則回報他們很沮喪、焦慮，甚至覺得羞愧。

你不需特地進研究室裡進行實驗，就能了解這些學生的感受。有多少人曾在走進老闆的辦公室時，期待老闆會稱讚自己工作做得很好，卻反被削了一頓？大腦會令我們進入高度警戒，立刻產生戰或逃反應。或者試想你正在談一項交易，對面那個人卻一語不發。這種常見的談判策略，就是為了讓人坐立難安，人們就會說出不該說的話，或是做出過多讓步。坊間甚至有約會教戰手冊，鼓吹操弄人情感的做法以及消極性攻擊的行為，教你如何透過沒有反應，取得主控權，又不與人為敵。

然而，為什麼生氣或沒有反應的臉部表情，會讓我們坐立難安，或失去自制力呢？當然，並不是每個人對「社交威脅」的反應，都是一樣的。有些人只是聳聳肩、置之一笑，有些人會去拉別人裙襬，有的人則會退回角落。每個人的反應都與個人獨特的生理氣質，以及始於嬰兒期的種種社交經歷有關，我們的社交活動，早在進幼兒園之前就開始了。

社交喚起的影響力

在此值得觀察的是「社交喚起」的影響力。有些成人認為，任何互動形式都會讓他感到壓力，而且壓力之大，會使他們避開任何社交活動，甚至不想跟家人及朋友往來。有些人則恰好相反，渴望得到只有在社交環境中才享受得到的能量。

然而，無論每個人的「社交喚起度量尺」設定在哪裡，神經感知系統都會持續尋求安全感。當系統感知到安全，我們便會如所需要的，感到平靜且警覺，或是放鬆。當系統感知到威脅，我們便會緊張不安、能量流失。

處於後面這種處境時，我們的表現就會跟「面無表情」實驗中八個月大的嬰兒一樣，試著將沒有反應或令人擔憂的社交夥伴喚回來。一旦做不到，便會變得冷漠、不知所措，或者感到很難再看著對方，更別提跟對方溝通了。

也許最有意思的地方在於，神經感知系統如何在意識覺察的閾值之下，監視他人的身體語言，觀察他們的語氣、手勢及臉部表情。也就是說，意識雷達並未偵測到以上社交線索。其實在人際互動的過程中，這個潛意識的監視系統要比語言表達重要得多。

我曾跟一位校長開會，她很想讓學校加入自我調整計畫。會議中，有個九歲大的女孩蕾秋，因為惹了麻煩，擾亂課程進行，被帶到校長辦公室。蕾秋顯然經常給他們出難題，她會在上課時調皮搗蛋，並且要求跟她同坐的孩子陪她一起玩。他們警告過她好幾次，也換人跟她坐，但這是她第二次被帶來校長辦公室。

接下來發生的事，正是神經感知的有趣實例。這位校長相當意識到我的存在，她向那位小女孩介紹我是名醫生，專門治她這種問題小孩。她說盡了好話，像是不想追究她的行為，想幫助蕾秋改過自新、變成讓爸媽驕傲的小孩。她甚至提到高度喚起，孩子多需要知道自己何時高度喚起，以及如何讓自己冷靜下來。

然而問題是，校長的身體語言讓人感到她口是心非。她皺著眉頭，聲音尖銳，手指輪流拍打著桌面。我看得出蕾秋對非語言的抨擊深感害怕，然後她整個人呆住了。很顯然，她根本沒把校長的話聽進去，臉色反而愈來愈蒼白，最後還被迫承諾自己會好好改善。

當小女孩離開校長辦公室，或者該說逃離這裡後，校長轉向我，一臉懊惱：「我要拿這種小孩怎麼辦？」我把她的問題當成真心的請求，想與我一起腦力激盪，而不只是受到挫折、深感失望的情緒發洩。

我對她說，這個小女孩似乎對說話語氣、臉部表情及手勢特別敏感，想讓她聽進道理，要先讓她冷靜專注，保持警覺。我們倆也一起探討蕾秋為何會有這樣的問題，並很快意識到，蕾秋之所以如此，並非因為社交意識及人際技巧不佳，而是與她的生理問題及情緒喚起有關。我們倆都在想，如何提升她的社交舒適度。

一旦我們察覺到自己的無意識行為，就能迅速改變身體語言，這位校長後來的轉變，就是令人讚嘆的例子。隔天，她與蕾秋的互動徹底改變，但不是因為她刻意把雙手疊放在大腿上，而是因為她開始用不一樣的眼光來看蕾秋了。先前，她對小女孩的行為頗有微辭，現在，她能看到孩子正承受巨大壓力，並立刻壓低聲音，眼神柔和。

需要社交，又害怕社交

當然，就如「面無表情」實驗的情境一樣，現實世界真有人會刻意利用不舒服的感覺。令人難過的是，這種人操弄人人都有的基本需求，而且他們的感覺，跟大學生扮演沒反應的照顧者之後所回報的沮喪感，截然不同，反倒體會到一種權力與控制欲。

但是，為什麼這類人竟有如此極端自我中心的衝動，與社會參與的基本需求背道而馳？這個問題的答案十分複雜，最終將帶領我們深入下一章探討的利社會領域。不過要回答以上問題，可以由神經感知開始，因為這跟傾向「開戰」的壓力回應系統有關。

控制欲強的人，習慣將他人視為威脅，像是認為表現優秀的員工會向他要求加薪；談判中的女老闆打算利用他的弱點；吧臺前魅力十足的女士會拒絕他的邀請。正如八個月大的嬰兒在「面無表情」實驗中會變得氣惱，這些人也變得具攻擊性。他們在社交場合中經常感到焦慮，而調適之道便是控制他人。

相反的，經常順從他人或是逃避社交場合的人，也不單只是因為天生被動或天性害羞。不知什麼原因，陌生人使他腎上腺素激增，令他產生逃避反應，很容易就進入凍結狀態。他對退縮的需求，不只是情緒上的，也是生理上的，是一種促進副交感神經運作的防衛機制。

這些模式難以突破，因為早已根深柢固。我在幼兒園觀察到的那個愛命令人的小男孩，並非天生如此。我不認為他只是表現出平時在家的經驗（雖然這可能是原因之一），相反的，他對微妙的情緒流動感到困惑，愈不知所措，控制欲就愈強。那個衝向遊戲場角落的小女孩，也不僅只是「社交焦慮」，而是想用她唯一知道的方式降低壓力。

以上現象，有助於我們了解社會互動的巨大矛盾。我們的確是社會性動物：我們活在世上，大腦的用途不只是接收訊息，我們也需要別人的大腦，才能感到安全。寶寶送出表達求助需求的訊號；照顧者回以會提供幫助的訊號。如果照顧者無法提供協助訊號，也許是因為搞不清楚寶寶需求，就很可能在各種領域都產生高度喚起。

有個年輕人曾告訴我，他們的兒子查克九個月大，他在媽媽哭的時候竟笑了出來，這讓他們很不高興，他問：「我們的兒子是否有虐待狂傾向？」我盡可能溫柔的向他解釋，這只是寶寶對母親哭泣的自動反應，因為媽媽哭泣啟動了查克的警報系統。這是一種恐懼反應，要過好幾年時間，查克才會開始調節自己的情緒反應。我不只看到、還清楚感覺到當他們了解到這一點，他們倆緊繃的張力獲得了釋放。

其他種自動反應也是一樣，譬如生氣，儘管許多家長難以理解，生氣也只是對潛在威脅的原始反應。我特別記得有個媽媽，她的女寶寶生氣時，讓她相當不安。我們必須幫助她看到自己多需要保持冷靜，並軟化自己的回應。問題在於，寶寶生氣時，家長也很生氣，這會加劇孩子對威脅的神經感知，而孩子起初會生氣的原因，正是因為感知到了威脅。

即使是最良善的社交舉動，也成了威脅

溝通失誤若長期累積下來，孩子就會在感到害怕時，避開自己最迫切需要的協助——冷靜的照顧者，或者等孩子再大一點，還會需要其他冷靜的小孩及大人。

他會往內縮，退回自己的內在。一旦產生戰或逃反應，大腦就會由社會參與轉成生存腦。社會參與是人類處理威脅的最新演化適應，生存腦則是更為原始的機制，用來保護遭到孤立的動物。

完全靠自己，拚了命想逃，正是處於戰或逃反應時的感覺。當孩子有上述感覺時，要他們用語言表達出來，相當困難，但我們可以幫助他們找到某些非語言管道，傳達給我們。我記得有個小女孩，她有個很棒的名字「茱妮波」（Juniper），但是大家都叫她「茱芭」＊（Junebug），當她感覺情緒強烈、不知如何面對時，她會把一個娃娃單獨放在

娃娃屋的角落，讓媽咪與爹地知道。

進入戰或逃反應時，即使是最良性的社交舉動，也會被視為威脅。還記得傍晚就會鬧脾氣的蘿絲嗎？她告訴我好幾次，她媽媽應該要停止對她大吼大叫。但是，某一次蘿絲不高興時，我親眼看到她媽媽根本沒有提高音量，更別提對她大吼大叫了。然而，這卻是蘿絲所感受到的！當她氣媽媽一再吼她時，瑪麗的回應確實變大聲了，因為她感到很沮喪，而且覺得受到不公平的指控。這一切就發生在我面前，千真萬確。

與其跟有負向偏誤的孩子講道理，或者更糟糕的，去教訓孩子，我們必須讓他們重新回到社會參與的世界。為了讓此成真，我們必須重建孩子的安全感。間腦的主要任務便是讓孩子感到安全。而且值得一再提醒的是，這一點猶如真理，經得起時間考驗，並普遍適用於人生大小事，而不只是教養孩子的動力關係。只不過，在教養上更加真確。

如果我們所說的只是在社交互動中感到安全，會讓人愉悅，那我們的結論可能會是：有時候你會感到舒服，有時候不會，這就是人生。然而，我們已經看到這不只牽涉到主觀經驗，在自我調整的所有領域，社交喚起都有強大的影響力。

* 譯注：某種金龜子的名字，與小女孩的本名讀音很相近。

當孩子感覺受到威脅，結果可能是交感神經過度亢奮（生氣及侵略，逃避或遺棄），或者副交感神經過度亢奮（退縮、痲痺）。失調情形會對孩子的壓力、情緒及自我意識造成深遠影響。當孩子感到安全時，體會到的不只是愉悅感，也只有在這樣的恢復狀態中，學習及成長才會發生。孩子獲得的技巧，有助於他面對與日俱增的複雜社交挑戰。

沒有足夠的時間「下線」

到目前為此，我們已經看到冷靜、專注及警覺，對於生理、情緒及認知的恢復與成長有多重要，對於社交成長的重要性亦不遑多讓。

以健身為例，每一個健身狂都知道，健身過程最重要的是健身過後的恢復階段。當他們給自己的挑戰超過了舒適區範圍，就要給身體恢復的機會，肌肉才會長出來。對於社交成長，此亦為真。

我們需要足夠的機會和時間，去理解讓自己感到不解的社交處境。可是今時今日的社交媒體，讓絕大多數孩子持續處於「上線」狀態，沒有足夠的時間下線，好了解自己在何時、又因何感覺受到威脅，但是這樣的了解，又對社交成長極為關鍵。

當孩子的社交僅限於簡訊與螢幕時，他們也失去了與人面對面的機會。面對面溝通時，身體語言及臉部表情的細微變化、語氣、交談節奏及周遭環境等，對於社會參與及社交學習與成長，都相當重要。

但這樣劃分生理、情緒、認知及社交成長領域會有些誤導，因為各領域密不可分，只是自我調整的不同面向而已。當孩子有了安全感，就會享受與人的互動，並且能對照顧者或其他人付出較長時間的注意力。能給出的注意力愈多，就愈能辨識出社交模式。大腦天生就會這種模式辨認，能從他人的臉部表情、語氣或手勢，預料到人們接下來的反應。同時，隨著孩子的社交發展及溝通技巧愈來愈成熟，心中的期待與渴望會愈來愈複雜，也愈能表達出來。

社交互動只能後天習得

我們的教學影片中，有一段畫面也很動人。影片裡，有個跟我們合作的爸爸跟寶貝兒子躺在床上，互相做鬼臉，一起玩著這歷久不衰的經典遊戲。他們兩個都玩得興致盎然，但是不到一分鐘之後，寶寶累了，他把頭轉過去。爸爸發現兒子需要休息，就放鬆自己，耐心等待兒子再跟他玩。不到三十秒鐘後，兒子轉過頭來了。他們兩個又再度做起鬼臉，對著對方的怪模怪樣開心大叫。

接著，我們會播放兩個月前父子倆拍的短片，用來對比剛才這段美妙的小小雙人舞。兩個月前他們第一次來找我們，也是玩一樣的遊戲。但是那時當兒子轉過頭去，爸爸不讓兒子把頭轉過去。他非常想繼續玩下去，儘管兒子很明確表示他需要休息。我們看到寶寶變得愈來愈焦慮。但整段影片最心酸的地方是爸爸的表情，你可以清楚看到他遭到拒絕的感受。

當父子倆剛來找我們時，相處上有很多問題，幾乎沒什麼默契，令兩個人都很不舒服。我們需要幫他們培養默契，促進寶寶的社交腦發展。等寶寶的大腦成熟，他不只能忍受較長時間的互動，也會渴望有更多互動。這位父親學著讓兒子來帶領，依孩子的舒適度來調整刺激量。他做了很多努力，不只是與寶寶共享幾分鐘有品質的時光而已。

這種雙人舞現象，只會隨著年紀成熟而愈形複雜，而且並非自然出現或天生就有，而是後天習得的行為，是參與了較長、較複雜的互動之後，才會產生的結果。孩子會學到臉部表情、說話方式、手勢還有語言內容代表的意義，就如孩子從簡單的方塊步進階到探戈時學到的能力，譬如心智解讀、心智展演（mind displaying，學習如何透過臉部表情及手勢表達感受）及語言技巧。

神經感知創造出讓社交成長成為可能的安全區。其實社交成長跟孩子的情緒成長很相似，兩者也緊密相連。

來自火星的人類學家

無論基於什麼理由，只要孩子覺得社會參與很困難，就會學不好。孩子會覺得社交應對超過自己能力所及，而感到不知所措，可能因此表現出攻擊性行為，或是顯得退縮。強烈的反應又會進一步構成社交缺陷，因為孩子需要參與更複雜的互動，才能發展出更微妙的心智解讀及展現心智的技巧。

這類小孩的問題在於，社會對他的期待與日俱增，但是他卻跟不上。孩子無法從陌生人的表情解讀對方感覺，也無法理解對話裡的言外之意。她不了解自己的一言一行，為何會令互動對象的臉上產生害怕、生氣或高興的表情。團體中，每一個人似乎都彼此了解，大家聽到笑話時都笑了出來，只有他在狀況外。這就是天寶．葛蘭汀（Temple Grandin）*所描述的世界，她形容自己像是「來自火星的人類學家」。很多孩子都有過相

* 譯注：知名的畜牧學家，幫助世人瞭解自閉症者眼中的世界。

同感受，但是沒有人溫柔帶領他們了解種種社交線索，相反的，他們遇到的都是惡劣、甚至具懲罰性質的回應，只會加重他們的社交焦慮。

這正是蕾秋的狀況。我在校長辦公室遇到的那名小女孩，根本不知道如何處理教室裡微妙的情緒流動。

老師說了些什麼，除了她以外，大家都笑了。然後為了掩飾這點，她就會扮演小丑胡鬧。她學到了當自己裝得呆呆笨笨的，會引來一些小孩跟她一樣裝笨，這麼一來，她才會感覺自己有伴。但你看得出來，由於她惹了許多麻煩，情況不斷惡化，讓她長期處於高度社交喚起的狀態。

這是許多小孩習慣的狀態，也是我們許多成人習慣的狀態。有許多小孩會發展出應對技巧，甚至會在某些表現上發光發亮。事實上，許多長期處於社交喚起狀態的成人之所以工作表現優秀，原因就在於，這是他們在不自在環境裡的生存之道。然而，他們的焦慮感還是存在，就像是背景裡持續發出的嗡嗡聲。長期社交喚起的影響，通常明顯可見，像是睡眠或進食有問題、沒有明確原因的身體疼痛、人際關係出問題、常見的疾病，或者更糟。

詹姆斯的故事：搞不懂別人接下來要做什麼

你一看到詹姆斯，就會喜歡上他。他是一位深具魅力的十六歲男孩，一百八十公分高，一頭蓬鬆的棕髮配上褐色眼睛，頎長瘦削，而且看起來似乎「活得輕鬆自在」，就像我祖母形容我的朋友那般。

他會堅定的與你握手，並看著你的眼睛，告訴你他很榮幸見到你，他也會專注聆聽你說話。他是那種立刻就讓你感到很舒服、產生信心的人。很難相信，這位迷人的年輕人在嬰兒時期焦躁不安，上了幼兒園適應不良，是個難搞的學步兒；進小學後成了過動兒，交不到朋友；一碰到挫折，就無法冷靜，而且無法不惹麻煩。

渴望玩伴，又嚇跑玩伴

詹姆斯從很小的時候就渴望有玩伴，可是又不曉得怎麼跟其他小朋友玩。根據他媽媽的描述，一開始她只讓他跟一個孩子玩，她邀請朋友在午後帶兒子一起進行遊玩約會，結果卻被當時三歲大的詹姆斯給毀了，因為他用力毆打另一個孩子的背部，那對母子奪門而出，讓詹姆斯難過了好久。

詹姆斯的童年早期充斥著這類事件。媽媽嘗試讓他去參加童軍團，但參加過三次活動後，團長建議她讓詹姆斯一兩年後再來，他說：「他還沒有準備好。」同樣的情況也發生在基督教青年會的夏令營，還有城裡最先進的一間幼兒園，不過詹姆斯在那裡待了一個月，直到所長建議詹姆斯應該「尋求協助」。按照媽媽的說法，「打從一開始，進幼兒園就是一場災難。」

儘管如此，詹姆斯是個很可愛的孩子，很容易開心，幾乎什麼事都說好（除了關掉電視之外），可是只要跟其他小朋友在一起，似乎就變了樣。不到幾分鐘內，他就會大吼大叫、推打別人，再糟糕的情況都發生過。不幸的是，大人對這種行為的反應總是一樣，生氣到堅持他不能再參加社交活動，讓他無法跟大家一起玩，但這卻是他在社交領域最需要擁有的經驗；更慘的是，大人還會處罰他、羞辱他。

小學三年級發生了一件事，讓他們一家來尋求我們的協助。詹姆斯在操場上毫無理由就帶頭打架，被請去見學校的心理諮商師。過去那一個月裡，這已經是第三次了，心理諮商師說他這種行為再不改善，就會演變成可怕的「行為規範障礙症」。

難以解讀他人心思

他的爸媽雪倫與達夫，在聽到心理諮商師的回答之後，第一件做的事便是立刻衝回家，在網路上到處搜尋並閱讀與「行為規範障礙症」有關的資訊。他們讀得愈多，發現這類小孩有很高的風險，會被提早退學、吸毒、判刑、罹患某些精神疾病，他們就愈擔心。因此希望我們團隊或許能「找出方法，給孩子不一樣的未來」，達夫苦笑表示。

其實，只有一件事情是清楚的：詹姆斯在解讀他人心思，或理解非語言線索上，有很大的困難。我們在他身上找不出什麼感知障礙，只不過是一個九歲大的孩子，似乎沒注意到我們透過手勢或語氣傳遞的微妙訊息。這肯定能解釋為什麼詹姆斯會覺得社交互動充滿壓力。想像你身在國外，既聽不懂別人說什麼，也看不懂他們的身體語言，你不確定人們的意圖，與周遭世界脫節，處於高度警戒狀態。

顯然詹姆斯在了解其他孩子的意圖時，遇到了麻煩，因此，他經常在跟其他孩子相處時感到焦慮。有些孩子碰到這種情形會退縮；有些則不做反應；有些則是逃離社交場合；有些會變得高度亢奮或反應過度。在某些情況，他們會變成表演者，試圖「娛樂」其他孩子，而沒有真正與他人互動。或者，他們可能會視情況，展現出以上每一種行為，正如詹姆斯的案例。

學校是社交活動密集的場所，上學對詹姆斯來說尤其困難。他在課堂上關閉自己，在操場上變得極具攻擊性，這可能跟有人會無情嘲弄他有關。其他孩子發現他們可以惹怒他，再看著他惹出麻煩。有時候，他會狂奔，以致於有一天校長打電話向爸媽抱怨，她沒有人手可以空出來看管他。雪倫說這不是通善意或熱心的電話，校長顯然很氣這孩子無法控制自己，語氣之憤怒，甚至讓雪倫感到自己教子無方。「我感覺像是有人大聲斥責我是個糟糕的媽媽。」

對家人與對外人，表現大不同

透過詹姆斯還是小嬰兒時的家庭錄影帶，我們得以窺見父母眼中的他，而且我們看到了兩個截然不同的孩子，一個是跟父母親玩時通常很平靜的他；另一個則是在社交場合，如生日宴會或感恩節聚餐中，看起來很失落、不知該如何與眾人同樂的他。

尤其有意思的是，我在辦公室裡看到雪倫、達夫跟詹姆斯之間的互動，他們輕聲細語，慢慢跟他說話，不會比太多手勢、也不會笑得過多，而且只要他沒回答問題，他們就會耐心等候。他們三人之間有種優美節奏，讓我想到華爾茲。顯然，即使是在詹姆斯小時候，他們來找我們幫忙之前，雪倫及達夫出於本能，便已經開始學習減少非語言線索，使詹姆斯能夠專注了。

我也注意到，當我們團隊中有人太過活潑時，詹姆斯很快就會不知所措。我想這能解釋他在學校遇到的狀況。太多小孩，太多情緒能量流動，一下子要跟很多人互動，讓他來不及處理，更別提還要他去想怎麼跟人互動了。

在孩子必須應付的各種「威脅」中，尤其困難的是不曉得別人接下來要做什麼，自己應該如何回應，或者為什麼每一個人都在笑。這很可能是詹姆斯會經常打架的原因。事情發生時，跟他講道理沒有意義。他會說是其他小孩先開始的，是他們先打他的。親眼看到事發經過的老師，當然會對他很反感。這表示不管是什麼樣的狀況，詹姆斯一直受到指責，說他撒謊是為了避免惹禍上身。

但有一點千真萬確，如果你仔細想想，就會覺得很有道理。可惜從沒有人這麼想過：**他所說的就是「他的感覺」！他可能不是「編造事實，為自己辯白」，他所說的就是他所經驗到的感受**。孩子因為負向偏誤，會對現實產生誤解，這會帶來一個大麻煩，也就是儘管孩子陳述的事發經過可能偏離現實甚多，但那卻是孩子親身經驗到的感受。當孩子的內在警報響起，即使是最無害的行為，對他來說也像是威脅。有孩子因為好玩推了他一把，這個高度喚起的孩子便重重打回去，因為他認為這是攻擊。或者老師要他排隊等候，他卻哭了起來，因為在他看來，他剛剛被老師責怪，而且老師討厭他。

在小詹姆斯面對的所有挑戰中，最大的挑戰莫過於他在學校裡總是惹是生非。他經常在午餐時間或下課時被留下；他被停課好幾次；三年級時他甚至還被開除了兩天。大家都說他是個麻煩製造者，這使得老師們都對他有先入為主的刻板印象，卻沒有意識到，當他們看到詹姆斯時，不管他在做什麼，他們的表情都很嚴厲。只要教室出現騷動，第一個被點名的人就是詹姆斯。

沒有壓力的陪伴

情況似乎一年比一年糟，但一直要到了五年級，他才真正開始崩潰。他幾乎沒有一天不被叫到走廊或校長辦公室罰站。他每天早上起床，就害怕去學校，每天回家都情緒低落。因此，雪倫及達夫決定做件大膽的事，在隔年把他轉到有自我調整計畫的學校就讀。

在加拿大政府的推動下，部分學校將自我調整融入教學的每一個層面，包括孩子、老師、行政人員及家長。詹姆斯在新學校找到了一群新的孩子及老師，還有一位深具同情心的校長，決定要幫助這個小男孩。她似乎憑直覺就能了解他。校長建議詹姆斯跟一位教學助理一起工作，結果他在六年級時的表現，令人驚奇不斷。

教學助理泰拉先生是我見過最溫柔、最有耐心的人。從一開始，他便採取能讓詹姆斯感到自在的步調，幫助他學習，但要做到這點，詹姆斯必須信任他。他不會對詹姆斯大小聲，也不會給他壓力，並且盡其所能讓詹姆斯能清楚了解。或許最重要的是，他很自然就表現得跟雪倫與達夫一樣，說話輕柔緩慢，充滿耐心，不會有太多手勢或身體動作。

老師們都知道詹姆斯的狀況，也都同意只要泰拉先生覺得有需要，詹姆斯可以隨時離開教室。剛開始，這種情形經常發生，詹姆斯及泰拉先生會安靜起身，在校園裡散步，讓詹姆斯冷靜下來，直到他準備好再回教室。光是知道自己有這樣的自由，就已對詹姆斯產生平靜的效果，離開教室的時候也愈來愈少，到了聖誕節時，他已經完全沒有這個需要，也不會跟老師突然槓上了。

學業與社交技巧突飛猛進

泰拉針對學校功課，先找出詹姆斯真正感興趣的學科——第二次世界大戰。在很短的時間裡，詹姆斯狼吞虎嚥讀了許多歷史書，並且變得很喜歡歷史。接下來是個大挑戰——數學。在做了許多數學遊戲之後，他們發現詹姆斯的焦慮才是搞不懂數學的主要原因；他心裡認為與其嘗試後失敗，不如連試都不要試。不過很快地，他也準備好要面對數學了。

詹姆斯的信心成長有如三級跳。在很不尋常的短短時間內，他不只達到那個年級該有的水準，甚至還脫穎而出。這一切是怎麼發生的？

答案在於泰拉先生讓他感到安全，他愈感覺安全，在課堂上就愈專注。但是沒多久，更不可思議的事情發生了，詹姆斯開始與人建立關係。他打入班級中，成為其中一員，跟其他孩子合作得很好。先前看起來像是社交技巧不佳而導致的問題，事實上，跟他在神經感知上遇到的更大挑戰有關。他很少像與爸媽相處那樣，跟老師之間有良好的社交互動，接著他在學校感覺到的高度焦慮，又使得他受到威脅，儘管事實上並沒有人威脅他。

問題在於，他在學校裡太常被人斥責，太常惹麻煩，之後又被迫道歉或承認自己做錯了，但他其實並不明白自己錯在哪裡。他只學到，當他說了「對不起」或「我不會再這樣做了」，別人就不會再攻擊他，然而他的反應，似乎只讓老師更加確認他真的有錯。但是，他真的不明白為什麼大家會這麼生他的氣。所以整個神經感知系統就卡在負面循環，這才是他會朝行為規範障礙症方向演變的真正原因：他不是學不會社交技巧，而是一直被人們認定他不肯努力控制自己的行為。

慢慢的，找回內在平靜

有一天，泰拉先生打電話給我，請我跟他一起腦力激盪，看如何能讓詹姆斯的社交發展再進步些。我們決定讓他陪詹姆斯去練習打籃球，甚至當助理教練，陪他一起上場打球，並且在休息時間陪伴詹姆斯。只要詹姆斯有需要，就可以找他，但他不會緊迫盯人。

我找了個時間親自去看看實際情況，眼前所見，讓我回想起幼兒園那三個孩子。有一群男孩正在玩自己設計出來的遊戲，結合了籃球、足球及橄欖球。我相信詹姆斯跟我一樣，搞不清楚遊戲規則。當他還是個小男孩時，這種情況就發生過，當時他會退到操場旁邊，去找昆蟲或玩石頭。但是這一回，我看到他朝泰拉先生走去，跟他說了些話之後又離開。整段休息時間，我看到他離開泰拉先生，去加入那群孩子，又走回來講話或問話。我明白了，我看到他做的事，就跟那個拉緊老師裙襬的小男孩是一模一樣的。

在他最需要的時候（對詹姆斯來說，就是在課堂上或是在休息時間），他愈能從泰拉先生那裡獲得社會參與的冷靜效果，他就愈能把注意力放到其他小孩、放到老師身上。他開始獲得自己需要的社交技巧，以前的他幾乎辦不到。每一個家長、老師及同學，都注意到他的改變。

這一切不是在瞬間發生的，也不是像施魔法一下，讓他突然間就變得跟其他孩子一樣，而是緩慢的、肯定的發生。而雪倫與達夫擔心有一天詹姆斯會變成可怕的「行為規範障礙症」的狀況，也愈來愈少出現了。

從此一切都不同

當我們看到十六歲的詹姆斯，我們問雪倫及達夫，他們是否曾在某一刻突然領悟到，詹姆斯的未來不會再像先前人們預測的那般黯淡無光，而會成為一個很不一樣的大人。他們倆幾乎異口同聲回答「那是在他高二被選為籃球隊長時」。這是一件大事，既說明了他的籃球技巧受到肯定，而且更重要的是，他頭一回受到來自家人以外的大人的正面肯定。這也顯示他獲得隊上其他孩子的尊重，這對他的自尊相當重要，畢竟長期以來，他一直自尊低落。

籃球毫無疑問是幫助詹姆斯克服負向偏誤的主要因素。這孩子喜歡打籃球，也喜歡關於籃球的每一件事，像是自我挑戰、基本練習、隊友友誼及得到的回報。他會在街上一邊走一邊拍球，也會花好幾個小時在車道上練習跳投，並且一整個暑假都用繃帶緊緊纏住右手，這樣就能強迫自己學習「左右開弓」。他夢想有一天可以成為職業選手，而且願望還可能會實現——誰說不可能呢？無論最後他的生涯發展為何，詹姆斯是個認真投入、調適良好、多才多藝的孩子，他具有所有能開創成功人生的素質。

孩子天生的興趣，經常成為發現內在動機之路，可以在各個領域支持自我調整的發展。籃球有助於詹姆斯在其他四個領域的自我調整。團隊只有在互相配合時才能獲勝，詹姆斯的技巧愈好，就愈能參與其他人的活動，這不只是指球場上的狀況，下了球場亦然。他變得愈來愈能投入人際互動，並保持穩定。我感覺這一點至關緊要，因為他在更衣間獲得的所有社交技巧訓練，也會應用在學生餐廳、球隊大巴以及巡迴賽外出住宿時。

詹姆斯的故事提醒我們，這五個領域是彼此關連的「系統」，當我們針對某個領域工作時，不只需要檢視各個領域，還要從整體來看。當詹姆斯的社交技巧變成熟，他的情緒調整也變好了。而當他愈來愈少在社交場合感到焦慮，他的社交技巧也會愈來愈好。他愈懂得解讀他人心思，就愈少感到社交互動耗費他的能量。他愈不焦慮，就愈能專心在內在狀態及周遭發生的一切，甚至連自我紀律也改善了。

雪倫又告訴我一個感人的故事，詹姆斯在外出參加巡迴賽時，決定不去游泳池跟其他孩子一起玩，而要早點上床，他就可以為隔天的比賽，做好充分的休息準備。這似乎只是件小事，但是對一個童年時期只要周遭有其他高度喚起的孩子在、就會變得更加高度喚起的孩子來說，卻是相當了不起的改變。

現在的詹姆斯，擁有自我覺察及自我調整技巧，他能做出選擇，這表示他知道什麼事對自己最好，這正是他向前邁出的一大步。

為孩子搭起社交鷹架

社交領域的自我調整，主要是跟神經感知及社會參與系統的發展有關。而挑戰也正在於，社交互動本身就是壓力源，然而社交互動卻是孩子在面對壓力時的第一道防線。自我調整幫助我們看到，父母和老師可以如何協助孩子駕馭這股張力。

兒童在早期發展時，其基本單位是雙人組，也就是父母親及孩子，或者照顧者與孩子，還有間腦的運作。在孩子發展的各面向之上，都需要互動交流，而且需要的時間遠遠長過我們想像。我們說的是十年以上的時間，而不只是幾週或幾個月，而且過程是一步步發生的，中間會停滯不前，也會退步。身為孩子生命中的高階大腦，我們如何回應孩子的需求，會塑造他們的生命軌跡。

回想我們在前一章看到的泰勒，他要發展執行功能所需的互動類型，與他所經驗到的互動類型，兩者之間並不協調。他需要能讓自己平靜下來的環境，而不是給他壓力、要他坐好、或是再多努力，因為這對他來說是種威脅。這點也同樣適用於詹姆斯。**詹姆斯不需要社交技巧來參與社交活動；他需要參與社交活動來發展社交技巧。**

我們都希望孩子在社交上是成功的。為此，孩子必須能解讀非語言線索，有的孩子甚至需要更多幫助，還有無止境的耐心！只要孩子能處於平心靜氣觀察的狀態下，學習心智解讀，永遠不嫌晚。

因此，我們需要看出孩子是否有高度社交喚起的跡象，譬如緊拉著老師裙襬不放；知道他的警報何時響起，一旦發生時，可以配合他的舒適度與他同步，以降低喚起狀態；幫助孩子學習辨識自己何時變得焦慮；幫助孩子發展出自我調整策略，使他能繼續參與社交活動。

孩子只有在自然的人際互動中，才能習得心智解讀的技巧；而唯有孩子感到安全，才能參與人與人之間的自然交流。

09

同理心與利社會領域：成為更好的自己

現代社會廣泛可見的反社會行為，讓我們幾乎忽略了，人類其實天生就有同理心的事實。重點在於，要親身體驗過同理心之後，孩子的同理能力才能順利發展。

我的兒子沙夏在十一歲時，帶領曲棍球隊又拿下一勝。這個球季連戰皆捷，球隊也持續往目標邁進。

在比賽的最後幾秒鐘，他有機會打出漂亮的一球，輕輕鬆鬆再拿下一場勝利，但他卻把球傳給尾隨於後的隊友，最後由隊友拿下這一分。

他怎能把不費吹灰之力就可輕鬆得分的大好機會，拱手讓人呢？我開車載沙夏回家時，問了他這個問題，顯然我的語氣有些不解。他的回答儘管有些刺耳，但至今仍在我耳畔迴響：「爹地，團隊的表現比我個人還要重要。」

每一個孩子天生就有能力考慮到他人福祉，做出不自私的行為，事實上，這是打從娘胎裡就注定好的。即使是年紀很小的孩子，也會自動自發對人表示關心或安慰，給予一個擁抱、觸摸，或是彼此分享食物及玩具。研究顯示，嬰兒能察覺他人的難過，並做出回應。

隨著孩子的成長，你會希望自家小孩樂於分享、懂得安慰朋友或歡迎新夥伴。孩子能超越自我，著眼大局，並為他人做出貢獻，說來簡單，然而我們的經驗一再顯示，要做出這類選擇，並不容易。

反社會與利社會

社會學家喜歡創造術語，「利社會」（prosocial）便是其中之一。專家會探討術語的意義，但身為家長的你可以活一輩子，都不需要講到這個名詞。然而，做為「反社會」的反義詞，「利社會」代表了善解人意、慷慨大方、關懷體貼及大公無私等，種種生而為人的重要面相，也就是何謂具有良好品格的人。

我們希望品格能深植孩子心裡，因此看到孩子行為違背這些特質時，難免心生擔憂。很少家長會希望自己孩子長大後殘酷無情、剝削他人，或者只知道自私自利。

孩子廣泛的反社會行為，前景堪憂，尤其我們已看到一些極端例子，如青少年槍手及網路霸凌的悲劇結局。在日常生活中，其實更常遇到霸凌、自戀及操縱他人等殘酷行為，不勝其擾。這些雖不是肢體暴力，卻同樣缺乏良知，令人心寒。

即使只是孩子想法有欠考慮，或者太常發生這種情形，有時也會讓人憤怒與擔憂。對於欠缺品格及良知的恐懼，尤其會影響到我們如何看待孩子的發展。其他發展領域，都不像利社會領域那般定義寬鬆、卻又具有高度道德意涵。大部分家長可以慢慢接受孩子在社交、情緒或學習上的障礙，但是一旦與品格有關，他們的反應都極為激動，衝擊更大。

然而，最近的神經科學研究指出，有「品格問題」的孩子，無論是麻木不仁、傷害他人的行為，或是說謊、欺騙或偷竊，多半都有不良的喚起調控模式，尤其是情緒失調。衝動的後果、管理不佳的負面情緒、無法專心及社交理解能力的差距，都會出現在利社會領域的中心舞台上。

天生就會關心他人的社會性動物

利社會領域帶給孩子的壓力，要比其他領域來得更大，因為利社會總是牽涉到與其他小孩或團體之間，在感覺或渴望上的衝突。

時至今日，仍有人抱持傳統觀點，認為除非強迫孩子，否則孩子永遠不會從只顧自己變成體貼他人、替人著想；傳統觀點也認為，必須鍛鍊孩子，以意志力控制自己，克制自私自利的衝動。難道這意味著，培養自我調整力的第五個、也是最後一個領域，終究還是跟自我控制有關？

當然不是，利社會領域始終與自我控制無關，孩子會發展出對他人有同理心的能力，而且打從一出生，每一個孩子天生就具有。人類是從出生起就渴望社交連結的物種，為了生存，需要社交連結；為了繁榮興盛，需要利社會能力。

換句話說，與其問：「如何讓孩子變成品格高尚的人？」更好的問法是：「如何培育孩子關懷並同理他人的天性？」顯然，有些孩子（即使年紀尚小），也看不到他們展現出如此天性。培養自我調整力不只有助於我們了解，何時及為何這種情形會發生，更重要的是，還能幫助我們思考該怎麼做。

孩子必須學習（必要的話，要強迫孩子）壓抑「本能」，才能成為高尚的人，這是十七世紀英國哲學家霍布斯的論點。他認為，要是讓人類恢復本性，將「不再有藝術、文字與社會。更糟的是，恐懼會持續，還有因暴力致死的危險。人類不只會短命，還會活在孤獨、貧窮、骯髒及野蠻中」。這派想法建議，本性野蠻的人類要生存下去，必須被迫接受法律管束，若無法遵守，就必須強迫他，或將他放逐、監禁。

然而，強迫的做法只會令人心生恐懼，而非同理心。人類天生就有同理心，而且只能在自然的狀況下發展出來，這就是間腦雙向交流同理心的作用。

自我調整的核心在於我們是社會性動物，人類的頭腦天生就需要同理心。演化生物學家的研究成果告訴我們，在所有高等靈長類身上都可以見到同理心。這是我們的生理本質。有愈來愈多對年幼孩子所做的同理心研究，都清楚支持這一點，而且大多數爸媽及幼兒照顧者，都看過孩子在家裡表現出關愛反應。我們在實驗及臨床上也經常從嬰幼兒及爸媽之間的互動，看到同理心的展現。

可見孩子天生的同理心沒能順利發展、不懂關心他人，反倒發展出貪婪、自私、無情、刻薄等行為，是有生理及社會因素的。但相對的，只要在對的環境裡，生理機制會讓孩子具有好的良知、正直及慈悲心，並優先考慮他人需求，這就是大多數人渴望的「成為更好的自己」。所有跡象在在指出，反社會行為是異常的，不是常態；若非如此，我們這個物種不可能走到今天。

同理心的全新觀點

利社會的發展，主要仰賴孩子的同理心經驗。即使你表現得有如野獸一般，你仍是被愛的，讓孩子明白這一點非常重要，可說是培養自我調整力的主要原則。

正如孩子透過成人的調整，而學會自我調整，孩子也是透過經驗到同理心，而發展出同理心。**每個人天生就有同理心，卻要在體驗過同理心之後，孩子的同理能力才能完全發展出來。**

蕾秋因為上課搗蛋，被送到校長辦公室，受到校長責罵後，整個人不知所措。當這種情形發生時，蕾秋由校長的反應中唯一學到的，就是恐懼。蕾秋不只失去了更有建設性的學習機會，也沒有感受到具有同理心的反應。唯有同理心能打動她的內心深處，培養她的自我覺察，並也察覺到他人需求。

當孩子難過時，與其一味同情，更好的做法，是以真正的同理心相待。這需要更深的理解，不能只用大腦，而要以身作則。成人必須挖掘自身經驗，揣摩孩子難過時是什麼感覺，然後嘗試理解孩子為什麼難過，又要如何幫助他。孩子往往不清楚自己過分自我中心，更別提要他說出自己為何如此的原因了。這是大人的工作。

我們必須不再只從孩子的內在來理解同理心，不再認為那是「品格」或「氣質」的關係。真正的同理心是雙向交流的現象，必須成對而生。間腦包含了兩個人的經驗，必須調整彼此共有的情緒狀態。當孩子難過時，我們也會感到難過，而且需要仰賴我們的高階大腦，嘗試找出原因，並安撫他們。

從無能為力，到成為小幫手

在十五世紀晚期，有齣當時極受歡迎的道德劇「上帝對『每個人』的召喚」（The Summoning of Everyman）＊，故事是關於我們在一生當中努力抗拒各種誘惑的旅程。然而，這趟旅程（及努力）正好適用於描述在發展旅程上的「每個孩子」，如何從間腦的這一端走到另一端。從受人悉心照料的嬰兒，長成為人著想的朋友，有朝一日還會成為家長；從所有個人需求都獲得滿足，到滿足他人的需求；從受人調控，到調控他人。

這趟與間腦有關的旅程，難免走得艱辛，得繞過坑坑洞洞的需求與衝動，不使自己陷入毫無節制的自私自利中，絕不是條筆直的康莊大道。孩子可能這一秒很有同理心，下一秒又失去了；或者對某個人很有同理心，對另一個人卻有所保留。一路上還可能不斷繞道，或者遇到滑坡，而且我們必須體認到，對孩子來說，退回到自我中心的狀態是很自然的，尤其是在受到過度壓力時。這正是原始防衛機制的特質。

身為父母，你已走過上述崎嶇的旅程，知道照顧一個嬰兒有多困難，然而，得到的回饋卻又那麼深刻。這就是為人父母的本色。父母及照顧者擔任「間腦」的角色，調整嬰兒，一切努力所獲得的回饋，是神經傳導物質的釋放，會產生愉悅、平靜及活力充沛的感受。

在二〇〇六年，科學家發現「給予」行為所活化的大腦部位，會產生令人感覺良好的神經傳導物質，並將此現象稱為「助人快感」（helper's high）。還有研究顯示，助人快感對助人者的健康有益。結果顯示，「給予者」比「非給予者」更加健康快樂，這不只是心理因素，還有生理因素。這些正向感受，來自於中腦邊緣系統（mesolimbic system），這個系統似乎就是設計來回饋（也督促）我們的利社會行為。也就是說，我們的大腦不只「需要」同理心，也天生受益於他人及彼此的交流。

有大量探討「社會支持」的科學文獻，證據確鑿，指出我們的社交連結愈多，生心理就愈健康。尤其值得注意的是，社會支持能降低血壓及心跳率，減少皮質醇（壓力荷爾蒙）分泌，並促進免疫系統的運作。甚至有研究顯示，社會支持愈多的人，愈少感染一般的感冒。

＊譯注：十五世紀的英國文學，盛行勸人為善的道德劇，這是最受歡迎的一齣，「每個人」在劇中代表全人類。在此劇中，上帝認為人類為惡棄善，故命死神召喚「每個人」前來接受審判。

如果幫助他人會使我們感覺更健康快樂，那又是什麼使人們不去幫助、關懷他人呢？以過度緊張的照顧者為例，為何有些照顧者會迴避、甚至傷害他們的寶寶？這個問題的答案，與至今我們在本書每一章所討論的一樣。問題在於壓力超載。無法調適壓力的照顧者發現，寶寶的不舒服，超過他所能承受的程度，更重要的是，這是他無法理解或抵抗的。光是分泌催產素（oxytocin）＊，並不足以使照護者避免採取戰或逃反應。

正如壓力極大的照顧者，會感覺受不了自己的寶寶，同樣的，有的孩子也會覺得其他人的苦惱超過他的負荷。這正好凸顯出在利社會領域中，自我調整的核心任務，便是要找出原因解釋，為何對有些孩子來說，這種具有發展性及同理心的社會連結是舒適自在的，但對某些孩子卻如此困難，致使他們選擇逃避。

壓力擊潰了社會腦及利社會行為

孩子會覺得利社會發展之旅寸步難行，有許多原因。有些人天生就比較容易流失能量，也容易造成邊緣系統的喚起。其他像是想起早期經驗，或者跟某人有不愉快的過往，而讓內在警報響起。不管是哪一種情形，孩子都長期處於高度喚起狀態，慾望及衝動因此增強，社會及自我意識下降。

長久下來，孩子會感到不可能與他人分享、無法體諒他人，甚至無法溝通。還會變得極度敏感，無法處理內在及外在的訊號，或者變得相當遲鈍，無視於身體的訊息，並且對周遭人們的行為感到困惑。此時，又可能會覺得其他人的喚起對自己造成極大壓力，以致於觸發了戰或逃反應。

換句話說，除了其他章節所探討過的生理、情緒、認知及社交壓力源之外，在利社會領域，還有一個獨特的壓力源。**承受來自他人的壓力，或者感覺必須將他人的需求放在自己的需求之前，就是一種壓力，有時會非常激烈**。長期處於低能量／高壓力狀態的孩子，會覺得這種內在壓力極大，一點也不令人驚訝。我們需要極大能量，才能對自我調控不佳的人付出。

正如戰或逃反應，會限制新陳代謝系統及免疫系統的運作，並妨礙社會腦中支持心智解讀及溝通的系統運作，同時也關閉了使我們經驗到同理心的系統。我指的不只是受他人感受影響，還包括意識到自己受到了影響。當這種情形發生時，原始系統會接管一切。對一個壓力破表的家長來說，比社會腦更早發展出來的原始系統，會把一個放聲

＊譯注：研究顯示，催產素不足，會使人缺乏同理心。

多重效應：五領域壓力循環

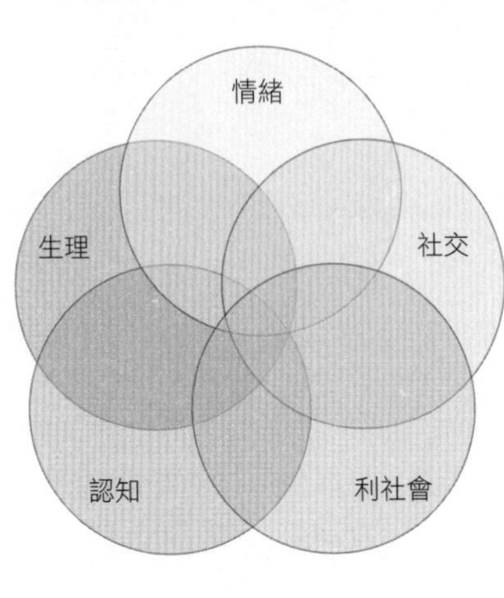

大哭的寶寶視為威脅，或者在孩子不關心別人時，觸發同樣反應。

當孩子陷在同樣的壓力循環中時，由另一個孩子引發的「威脅」，還有因大人的憤怒所致的額外威脅，會使孩子產生不良反應。

在利社會領域中，自我調整的問題經常顯示在孩子與他人相處有困難，可能是一對一，也可能是與較大團體的社會互動。或者，也會顯示在孩子受到會使他品性不佳的團體所吸引。利社會領域的問題，也代表其他領域出了狀況。無論如何，孩子的行為經常是因自主神經系統已經超載。請見上圖完整的五個領域的壓力循環圖。

對「每個孩子」來說，在間腦上，從「我」到「我們」的旅程，不僅僅與認知有關，也不只是了解他人的想法與感受，或者是他若學不會控制自己的衝動，就會遭到團體排斥。要在利社會領域展現真正的同理心，首先要靠自我調整，也就是在面對他人的壓力時，學習如何保持冷靜。也就是說，要讓間腦更加深化、成長，當孩子暴露在他人的痛苦下時，必須學習如何自我調整。

從「我與你」到「我與我們」

孩子天生就有體驗深層同理心的能力，但這種與生俱來的能力，不會自行發展出來，那是間腦扮演的角色。早在孩子擴大與世界的連結之前，就在與父母或照顧者的互動中，學到同理心交流的第一課。在他缺乏同理心時，尤其是當他透過侵略行為或逃避（若不是肢體行為，就是心理上的表現），來表達自己已不堪負荷時，我們的反應便會影響到孩子的同理心養成。

當發現孩子缺乏同理心時，父母的反應經常是氣憤。做出這類古老反應的大腦部位，一直在分辨這是「我的孩子」，還是「陌生人」。此時，孩子的大腦也在做同樣的事，把成人的憤怒或負面反應，詮釋為威脅。更糟糕的是，如今對他造成威脅的人，是他的爸媽、他所信任的照顧者或老師。

要是爸媽或其他成人，持續因為孩子缺乏同理心而大聲斥責，在該幫助孩子冷靜下來時，對他大吼大叫，在孩子的喚起狀態應該往下調整時，反而往上升。時間一久，孩子就會不再體貼，而轉向反社會行為發展。這種負面發展，有可能在相當早期就出現，甚至可回溯到孩子會走路之前。

語言及日常的表達方式，顯示出人類是社交性存在，也是利他性生物。我們跟人打招呼的方式，譬如溫暖說聲「哈囉」、點頭微笑、握手擁抱，都能讓人感受到和平的意圖，以及多渴望對方也有同樣感受，彼此都有安全感。這些象徵安全或威脅的社會習俗，並非人類獨有，不過也提醒了我們，人類對於彼此之間的安全感有深刻的需求。同理心則使這一點成為可能。

從霍布斯認為人類本性野蠻的觀點來看，同理心是神經科學家所謂的「經驗決定」（experience-dependent）現象。這種想法認為，孩子的本性全然以自我為中心，透過教養與規範，才有可能改變大腦天性，做出可為社會接受的行為，也就是將利他迴路，加在原本只為自己著想的大腦上。

自我調整則認為，同理心是神經科學家所謂的「經驗預期」（experience-expectant）特質。也就是說，孩子的大腦已為發展同理心做好準備，透過人類演化歷程代代相傳的教養做法加以培育，便可發展得更深更廣。

同理心及自我調整之間的連結會愈來愈深刻。孩子不只天生有同理心，也需要透過同理心來培養自我調整力。這不僅只是孩子需要他人以辨識出自己所受到的壓力，並做出回應而已，孩子也有幫助他人的需求，兩者都很重要。可是有時候，孩子對於他人同理心的需要太過強烈，以致於忽略、甚至阻礙了孩子幫助他人的天性。

安全感與平靜的心，是同理心的基礎

我們需要感到與他人在一起是安全的，這種需求甚至會強烈到控制了我們對孩子的反應，即使孩子還只是個寶寶。我見過照顧者對嬰兒生氣，因為嬰兒突然間對他們發怒。爸媽可能氣到置之不理、乾脆走開或大吼大叫。這種反應出於本能，瞬間爆發，完全非理性，在極端的例子裡，還有人會傷害孩子。然後，責怪孩子的想法就會接管一切，告訴自己這都是孩子的錯，孩子需要多一點自我控制，或者孩子過分自私、被寵壞了，而且他們這麼做，全都是為了孩子好。

這類反應大多與杏仁核有關。杏仁核會因他人的憤怒或緊張行為，而自動喚起。然而，我們會有如此反應，也不僅只因杏仁核突然喚起，而是因為我們的社會腦，以及孩子正在發展中的利他腦，需要來自他人的安全訊息。

由間腦展開的自我調整旅程，涉及了學習如何處理因他人而引發的恐懼或憤怒，以及個人如何調適。對外表冷酷的陌生人微笑；安撫放聲尖叫的孩子；在孩子需要往下調整時給他幫助，譬如，放慢動作，讓說話聲音或手勢變得柔和。

在勃然大怒時，我們退回到全然自我中心的狀態，此時同理心完全關閉，只意識到自己的痛苦與需要。

在我家孩子年紀還小時，如果他們說的話或做的事太傷人，身為家長的我會氣到破口大罵：「你怎麼可以這麼說？」我會一直罵到我太太柔聲（或者也沒那麼溫柔啦）勸我到另一個房間冷靜一下。我會去房間坐著，繼續生悶氣，直到前額葉恢復功能，我才能好好思考剛剛到底是怎麼一回事。

一旦我冷靜下來，我會去找孩子，帶著愛關心他們。但此時孩子已不知所措，渾身上下都散發憤怒或恐懼的訊息，社會參與至此宣告破裂。

我們在第五章讀到瑪麗及她的女兒蘿絲的故事，要讓蘿絲感到平靜，需要的是媽媽溫柔的撫摸，純粹的同理心反應。不必說太多，而且經常是什麼都不用說。甚至用手臂環繞肩膀，輕柔的碰觸或者摸摸背，就能讓人得到安慰。

純粹右腦對右腦的溝通，絕對是同理心的精髓，讓孩子感到需要我們時，我們並沒有視而不見。父母的同理心反應，其實正啟動深埋在孩子邊緣系統裡的記憶，那是孩子在嬰兒時期，媽媽或爸爸令他感到安心的觸摸或聲音，帶走了恐懼的記憶。這麼做不只能讓孩子平靜下來，而且之後孩子就會重新參與世界，最終擴展、也會接受同理心。

在有同理心的環境中，同理心才能成長

我在本書前言中提到的小男孩，他的父親及祖父都被說是「壞到骨子裡」，這一點充分顯示出，利社會領域跟家族傳統問題有關。他已經因為毆打其他孩子被停課兩次，而且還只是個就讀幼兒園的孩子。他的塊頭大，足以讓老師及同學感到威脅。這實在值得擔憂。

我曾經參加過一場演講，講者試圖證明遺傳即命運的概念。講者放了一段影片，影片中有個三歲孩子正揮拳狠揍他弟弟。正是這種例子，令人感到至少有些孩子是「天生壞胚子」，如果我們不從小阻止，未來必會走上反社會的悲慘命運。但令我憂心的正是如此想法，就是成人的這類反應，才會導致原本想避免的結果發生。

當我看著那段影片，不禁納悶，是什麼原因讓孩子打人。是因為新生兒的誕生太受

關注，使孩子心生怨氣這樣簡單的原因嗎？還是他弟弟侵犯到他的私人空間，不知如何說出自己的憤怒，以致於動手打人？正如我們已讀到的，還有其他原因的高度壓力與焦慮，也會引發打人行為。

或者，這孩子只是處於高度喚起狀態？總之，我看完後的感想只有疑問，而且是很多的疑問。我只確定一件事，根據諸多研究及臨床經驗，沒有所謂天生就想傷害人的衝動。然而問題在於，這類衝動當然自小會有，端視其他人（尤其是成人）如何回應孩子的暴怒行為。要是孩子持續受威嚇，或者更糟的是，受到肢體上或情緒上的傷害，他很容易就會對比他弱小的孩子這麼做，並且收到反常的愉悅感。

有些研究顯示，長期霸凌行為可能與多巴胺致敏化過程（dopamine sensitization process）＊有關，並導致更多攻擊性行為產生，以得到同樣的神經化學「獎賞」。正因如此，暴力性電玩及色情照片會不斷增強新鮮感，純粹只為了讓多巴胺流動。霸凌現象逐漸受重視，全美國及加拿大的學校也因此推出了「安全校園」的做法。

保護無辜者不受到霸凌，不只是人類的自然反應，也是必要作為。霸凌現象傷害到每一個人；不只是被霸凌者深受其害，霸凌者及見證者也同受其害。無論如何，當學校及社群針對霸凌建立懲罰性的「零容忍」政策，這項預期防止霸凌的禁令，並未解決問題根源。這種做法，只更進一步孤立攻擊人的孩子，並未創造出源於同理心、有機會共同成長的氛圍，後者的環境才會對每一個孩子都有幫助，無論是霸凌者及被霸凌者，皆可受益。

二〇〇四年，加拿大廣播公司傑出的紀錄片「朝氣蓬勃的孩子」（*Children Full of Life*），則是反霸凌的好例子。這部片記錄一位日本老師金森俊朗（Toshiro Kanamori）的故事，他幫助四年級班上同學表達出壓抑的情緒，並在這有時會令人感到痛苦的過程中，互相支持。

紀錄片拍得深刻動人，不只呈現出團體同理心的力量，也讓成人知道需要創造怎樣的氛圍，讓孩子能彼此幫助，在情感上及身體上都感到安全。

在金森老師的班級裡，還有件事格外引人注目，這也是我們的自我調整學校方案，在每個學校及每個年級推行時，觀察到的共有現象。那就是，每一個孩子都需要同理心經驗，不只是有情緒問題的孩子需要而已。

＊譯注：有科學家發現人在出現攻擊行為時，多巴胺的釋放會增加，產生更強的愉悅感。

忍住不吃棉花糖，好讓別人也吃得到

就像其他領域一樣，利社會領域的自我調整與成長有關。在利社會領域，我們會從內在道德養成的角度思考。可是，這類養成要成為可能，孩子的間腦必須成長，而這也意味，孩子必須對人數愈來愈多的同儕團體及成人，感到安全自在。

孩子的發展之旅，是從備受寵愛的家庭私領域，走向範疇更大的人類互動，如朋友、同學、社群、社會，以及今時今日因科技所形成的地球村。然而，唯有孩子能在更廣大複雜的社會場景裡，感到安全可靠，間腦才會成長。這表示孩子要與他人互信互助，也代表要能明白他人的渴望與擔憂，並做出回應。還有，無論孩子所在的團體大小，都能關心團體成員，而不是自掃門前雪。

孩子要能由自我中心，有效轉向以我們為中心，自我調整是必要工具。在冷靜參與下，孩子更能自在與人連結，解讀他人線索，辨識他人需求，而且不只是能延遲滿足個人欲望，必要時還可以放下欲望，先回應他人需要。忍住不吃眼前的棉花糖，好讓別人也吃得到，這會是更有意義的棉花糖任務；研究甚至顯示，即使是老鼠及猴子也能通過測試。

如果孩子因生理狀況而無法專注，對學校或家庭問題心生擔憂，為朋友紛爭感到難過，或被課業壓得喘不過氣來，他就很難關注大局及他人需求。當孩子身心俱疲、變得暴怒，他們需要的是躺下來休息，而不是長篇大論的教訓或懲罰。在利他行為上，也是如此。是的，孩子需要有人堅定、有耐心的告知他，哪裡做錯了，以及原因為何，最重要的是，**在他聽得進去時跟他談**。

這時，我們要把孩子帶到安靜的環境，讓他能夠往下調整。我得趕緊補充，不是要孩子去角落「冷靜一下」。在此指的是一個能讓孩子感到安全穩當的環境；唯有如此，才有可能往下調整。而且不必急著跟他談發生的事情。有時候，或許得等上二十四小時，孩子才能跟你談。你必須明白，要孩子了解整個事情經過，可能非常困難，更別提要他解釋「發生了什麼事」。

孩子愈熟悉其他領域的自我調整，當他在與其他孩子做共同調整時，就會更熟練，不只能更有效解讀並回應其他孩子的需求，也會有更多精力為他人著想，並關心團體。

孩子不需要沒完沒了的指導，只需要經驗與練習，以學習傾聽、貢獻想法、支持及尊重他人。在家裡也一樣，孩子便是在家裡學到同理心很重要，而且會在現實生活中的人際互動發生。貨真價實的同理心，是包含所有人的，朋友、親人、新同學或是陌生人都算數，且每一個人都值得同理心對待。

身為家長，你可以做為孩子表率，以身作則，活出典範，並視之為重要價值，與孩子懇談。請注意，利社會成長是由孩子建立的價值來推動，而不是由實為利己的策略性利他行為來推動，譬如刻意服務他人、好為申請大學的履歷表添上一筆。為了獲得競爭優勢、或是讓孩子（或者你自己）看起來像是好人，而虛偽從事社區服務，沒有什麼會比這等舉措更快令孩子變得憤世嫉俗了。

孩子不會上當的，但是對於真正有同理心的事，他們總是敞開心胸，而且不管在任何年紀，都會深深印入他們的心裡。

不計一切代價的勝利，成本太高

本章一開始提到的曲棍球賽，持續困擾著我，當時我為沙夏沒拿下那輕鬆的一分而難過。我怎會錯得如此離譜？在比賽進行得火熱的當頭，我跟其他看曲棍球賽的家長一樣，都有點昏了頭，這解釋聽起來有點牽強。重點是為什麼我們會如此激動，甚至妨礙到孩子的利社會成長？

許多孩子的人生，已經變得異常競爭。不管在課業、體育、音樂、藝術及社交地位上，他們都在網路與現實人生中，跟別人競爭。他們反覆聽到人們說，只有打倒別人，才能勝出。而且現代孩子開始競爭的年紀，早得荒謬，甚至在孩子還沒進學校之前，爸媽對孩子的期待就已野心勃勃了。

長期競爭壓力的負面效果，令人擔憂。最近的研究顯示，過度關注及強調成就與地位，會妨礙同理心發展及利社會領域成長。尤其是，「養尊處優卻壓力沉重」的青少年，將外在表現視為核心價值，這種想法深植孩子心中，他們沒有父母的關愛與支持，不具同理心，不明白利社會的價值，而且較一般青少年有更高比例的憂鬱症及其他心理疾病，毒癮與酒癮更為嚴重，並明顯表現出反社會行為。

在人類演進的過程中，當孩子及青少年面臨到壓力時，父母及社群多是他們的緩衝。而爸媽首當其衝，可說是孩子在轉變過程最有力的夥伴。孩子必須由親子關係，擴大間腦，走向更大的群體「我們」。然而，要是父母的行為造成反效果，顯著增強孩子的壓力負擔，那麼孩子在維持健康的社會及利社會參與上，會面臨更大挑戰。

如果孩子的行為反應出內在的掙扎，我們卻對他產生誤解，並歸因於這是他品格不佳或是基因不良，我們便等同放棄他，讓他孤軍奮戰、承受痛苦，而這一點，卻曾是我們亟欲使他避免的。

還記得先前提過，大腦裡有個「開關」，只需幾次腹部深呼吸，便可以讓我們從念頭太多或無法專注的狀態，進入擴張的意識，成為「更好的自己」，也是最具同理心的自我。

你可以有意識的練習「打開開關」，並把方法教給孩子，覺察肌肉的緊張度、呼吸快慢以及其他反應，尤其在你深感壓力時。簡單的自我調整練習可以降低壓力、讓自己冷靜下來，在當下重新振作起來，再度與他人連結，你甚至可以幫助他人一起練習。

我在曲棍球賽後反應過度，是兒子的話讓我冷靜下來。當我反省自己當時的心態，我發現壓力過大，可能是原因之一。我太過在意兒子在場上的表現，以致於忘了他的需要。儘管在競爭的熱頭上，同理心仍然存在，我兒子清楚知道這一點，但是我忘了。

孩子的教導與求助

我們經常陷入困擾自己的想法與話語中，尤其遇上的事跟孩子有關時。然而，當我請家長回憶，當孩子透過純真的眼睛看世界，以清晰的道德觀挑戰陳腐的觀點時，他們是否曾被孩子感動或改變，許多家長都表示曾經有過。可能是在安靜的床前對話中，或是在散步時，或是孩子幫助爸媽打破老舊無益的思維模式，看到嶄新的可能性。孩子就像是透過自然風吹響的風鳴琴，會與他們從我們身上獲得的任何一絲絲情緒流動共鳴。

女兒的故事：爹地，你什麼都不懂

在我女兒珊美六歲時，我們一起走在街上，有個乞丐靠過來，問我們有沒有零錢可以給他，讓他吃頓飯。我向他微笑，搖了搖頭，低聲說「沒有」，然後繼續往前走。我們又走了約十多步，女兒停下腳步，雙手放在臀上問我：「爹地，為什麼你會那麼說？你明知道你口袋裡有很多零錢。」我向她解釋，那個乞丐可能會把我給他的錢拿去喝酒，我真的不想負這種責任，讓他傷害自己。「可是爹地，」她抗議道，「難道你完全不記得盧克・布萊恩（Luke Bryan）？」

那個夏天，我們兩個一直在聽美國鄉村歌手布萊恩的新專輯「車尾趴與日曬」（Tailgates & Tanlines），我們倆決定那張專輯裡最喜歡的歌是「你什麼都不懂」（You Don't Know Jack）。這首歌的歌名是雙關語，既是在說我們不認識傑克，也是在說我們通常對別人的真實人生一點都不了解，尤其當我們只用刻板印象看待別人時。這首歌講述一個乞丐的悲慘人生，充滿恥辱與痛苦，老婆及小孩都與他疏遠，他很清楚酗酒讓自己及深愛的人付出什麼代價，他也知道當其他人走過身邊時，是如何評斷他。其他像我這樣的人。

當我們在家鄉鎮上的街角，行經路旁一名乞丐的身旁，他的帽子放在人行道上等人打賞，我對他說的那句「沒有」，飄蕩在空中，我的女兒轉向我說：「爹地，你什麼都不懂。他可能真的只是想吃個漢堡。」她的話讓我啞口無言。不管她說的對不對，那天我給她的身教勝過千言萬語，不管是我曾說過關於同理心的重要，或是任何我曾研究過、設計用來促進孩童身心發展的計畫。所以，我給了她一張五元加幣紙鈔，要她放進乞丐帽子裡。她站在那兒一直等到乞丐沒有注意時，才把鈔票塞入帽帶裡，並且在他還沒回神之前飛快逃跑。

孩子們給了我們絕佳的機會，成為更好的人。透過孩子，我們可以體會到全新層次的情感與思考運作。我們不只提供孩子生活所需或保護他們，透過他們的雙眼，還可以看到自己也必須成長的部分。所以，當談到利社會成長的重要性時，我們談的不只是孩子，也包含了自己的成長。

孩子與我們密不可分，我們幫助彼此達到人類發展的下一個階段。他們從我們身上學到同理心、慷慨及仁慈，我們也從他們那兒學習。

與社會連結的最佳狀態

我們可以用一整章來探討「利社會」的定義；這正是過去兩千年來哲學家一直在做的事，如今的科學家也還在努力。不過直覺上大家都知道「利社會」的意義，我們都想幫助孩子培養具有同理心的內在自我。

到目前為止，書中已探討過「保持冷靜專注與警覺」的四個要素，也就是前四個領域，但缺少了利社會這塊拼圖，就不夠完整。保持冷靜不只是放鬆、有覺知、享受當下，或許最重要的一塊是第五元素——利社會。

有位老師分享，某天她的學校進行自我調整計畫時發生的故事，當時她打算在二年級班上進行棉花糖任務。她拿出棉花糖，正準備把東西擺好時，突然有人請她去辦公室一趟。她把裝有棉花糖的盤子放在桌子中央，要孩子們在她離開時不要去碰。孩子全聚集在桌子旁邊，瞪著誘人的糖果，可是，孩子們不僅沒有伸手抓糖果，還幫助彼此抗拒誘惑。有個小男孩覺得實在有點抗拒不了，好想伸手拿糖。其他小朋友見狀，不但沒有讓他拿，也沒有一起起鬨，反而是幫助他抗拒誘惑。他們鼓勵他，幫助他轉移注意力，然後最感人的是，當他能忍住誘惑時，大家都為他歡呼。等老師回到教室時，一整盤棉花糖原封不動，一群眼神發亮的孩子等著她，小男孩很興奮，急著告訴老師，他成功做到了自我調整。這個故事裡，關於利社會行為最重要的是，孩子互相支持，一起達到共同目標，並且對最需要幫助的人伸出援手。

這是從自我調整的觀點，來看利社會行為的終極轉變。自我調整完全不是學習如何控制內在本質的旅程，而是要學習如何切合自己內在深處的需求，以及回應他人的需求。社會支持的相關研究清楚顯示，當我們與社會連結，就會回到最佳狀態。

自我調整幫助我們關掉孩子的警報，並教導孩子能自己做到。我們之所以要幫助孩子發展充滿意義的親密友誼，讓孩子湧生與人連結的渴望，並懂得人際關係技巧，其終極原因便在於此。當有他人為伴時，我們能休養生息，他人也會在與我們相處時找到真正的平靜。對於自己及他人，對個人及團體都大有助益。

第三部

青少年飽受誘惑，家長倍感壓力

10

青少年的力量與危機

青春期的演化意義，就是要孩子去冒險、去嘗試。在此階段，父母能做的就是給予青少年需要的工具，駕馭自己，但不企圖代勞。

星期五晚上，最後一堂大師課結束之後，負責接待我的人們說，想帶我一嘗「正宗的德州味」，所以安排我去看一場高中美式足球賽。

比賽地點在達拉斯，卡特高中（David W. Carter High School）對上金柏高中（Justin F. Kimball High School）。據他們說，兩支隊伍旗鼓相當，人們還從大老遠趕來觀賞。我觀察到這些青少年速度快，力量強大，紀律嚴明，非常健康。而且比賽完全是青少年之間的對抗。

雖然在場上及場下，都還是有成人參與、指導及監督他們（其實是對著他們大吼大叫），可是，大人們都會和指導的球員保持距離，空間上及心理上都是。他們身穿polo衫，而非球隊制服，並在場邊隔著安全距離，觀察球賽進行。

場上球員冒著巨大風險，展現出以他們的年紀來說相當驚人的技巧。儘管經過無數小時的訓練，他們在場上多半仍憑著衝動行事，將自己推向生理極限，做出超出自己能力的事，並讓所有肢體攻擊行為（絕大部分）仍在比賽規則可接受的範圍內。球員全神貫注在團隊合作上，一心想著贏球。

我發現一件有意思的事：一旦有人犯錯，另一個人就會幫忙掩護。有一回，有個球員誤判情勢，他的錯誤導致另一隊達陣得分，他的隊友拍拍他的後背及護具，說了些鼓勵的話。換句話說，他們的直覺反應是激勵他再接再厲，而非責罵。

中場休息時間的每分每秒一樣迷人。卡特高中的軍樂隊上場表演好幾首曲子，技巧精湛，熱情洋溢。啦啦隊在團隊表演上，也展現出同等的能量與精準度。這些演出相當具有感染力，看臺上的觀眾及場上的孩子全感受到了。

最後，看著臺上坐滿為球隊加油的大人及同學，也很有趣，他們跟場上的孩子一樣，一心一意想贏得比賽，用盡所有力氣加油，向上調整場上代表他們進行比賽的英雄們，他們也可說是在為自己加油。這不僅只是一場美式足球賽，只要看過這種場面的人都會明白，這是人的原始反應。

既現代又原始的青春期

最具代表性的美國當代景象，莫過於高中美式足球賽了。儘管如此，我們仍能從中觀察到更古老的現象。

在許多方面，青少年時期都是演化之謎，接下來會有更多探討。在此階段的孩子，無論在生理及社會上，都明顯處於轉型及不穩定期。如果家有青少年，你或許會認為他們只是來測試你的耐性。然而，此一獨一無二的人類發展階段，有其存在意義，因為**青春期的本質就是要進行嘗試**。

當青少年有共同目標時，都會彼此鼓勵、支持與滋養對方。這提醒了我們在演化上，青少年期必定有其目的。很巧的是，部分靈長類動物學家表示，早期人類大遷徙，所謂的走出非洲、進入亞洲與歐洲，是從直立人開始的，這與第一項青春期化石證據正好相符*。

青少年狂放不羈，又能忍受長期沒得進食，生理改變也會影響他們的風險評估（及評估錯誤）能力，可能正是這個原因，促使直立人一路出走挺進。

再者，青少年與成人對於潛在報酬與危險之間的平衡，評估方式有顯著不同。不難想像，直立人的爸媽或許不想遷徙，儘管食物來源日漸稀少，他們寧可善用當地資源就好。可是青少年呢？如某些古人類學家的猜測，他們是不是尋找新大陸的大膽冒險家呢？誰會嘗試新食物，或創造新的工具發掘食物？誰會在爸媽睡覺時，擔任哨兵呢？

青春期是人類發展上的獨特階段，與先前依賴性極重的童年、及日後趨於穩定的成年生活，大不相同。這段時期無比豐富，也處處是風險。近年來，青春期的風險及陰暗面成為關注焦點，自我調整在這段時期，也扮演了特別重要的角色。

青春期的煎熬與混亂，所為何來？

安姬癱坐在椅子上，幾乎一語不發。她今年十四歲，以她的年紀來說，身形略微嬌小，但儘管她神情懶散，卻打扮得很漂亮，看得出來滿注重外表的。

從安姬的學校及家族史不難看出，人們對她有諸多期待。她是個聰明的孩子，來自充滿關愛的穩定家庭，讓你以為她必然帶著自信樂觀面對人生。事實卻不然。安姬光是

＊譯注：學者發現，人類祖先的身體與大腦要發展到接近現代人類、約是直立人之後，青春期才開始出現，更早期的人類祖先沒有青春期。

到這間辦公室來，就耗費極大心力。並非來見我們對她來說，是困難的，而是每一天不管做什麼事，她都感到很累。

安姬每一天醒來時，都希望今天會變得不一樣，但卻似乎沒有轉機。單單只是起身下床，就讓她感到像是打了一場戰，換衣服跟吃早餐也一樣，更別提尋找新天地了。她告訴我，她有一些好朋友，但是多半時候都沒想跟他們聯絡。她也說不出為什麼做這些事會這麼困難，但是她幾乎每一天都有同樣感受。

安姬不是特例，有相同情形的青少年不在少數。

加拿大學生有多焦慮

二〇一三年二月，加拿大規模最大的教育局多倫多教育局，公布了自二〇一一到二〇一二年所做的學生普查結果，這是加拿大境內規模最大的一次，也是第一次有人針對焦慮症的盛行率進行了解。全多倫多七年級到十二年級的學生，有近百分之九十的比例，總數超過十萬三千名學生接受普查，報告結果震驚全國。

從七到八年級，超過一半（百分之五十八）的學生報告說，他們沒來由的感到疲累不堪，或者很難專心（百分之五十六）；令人吃驚的是，從九年級到十二年級，有這類問題的學生人數達到百分之七十六。七到八年級有百分之四十的學生，九到十二年級有百分之六十六的學生，回報說他們感到極大的壓力。最令人擔憂的是，七到八年級有百分之六十三的學生，九到十二年級有則百分之七十二的學生，說他們經常或隨時感到緊張或焦慮。

統計結果告訴我們，孩子如何看待自己。在調查中，他們以熟悉的語彙詮釋自己的感受，但這不必然是他們真正的樣貌。許多孩子從未真正感受到「冷靜」卻不自知。孩子通常不是真的清楚自己的感覺，或者他們無法解釋，為什麼自己的感覺如此糟糕。他們會開始自己用藥，用藥房買來的成藥處理頭痛、失眠或是腸道問題。有些人因長期焦慮，導致他們用酒精或其他物質來治療自己，但這麼做只會讓問題更複雜。對家長及教育者來說，他們所看到的結果是警訊升高，青少年的生理與心理健康問題愈來愈嚴重。

我在美國及加拿大各地工作時，遇見不少老師及行政人員告訴我，愈來愈多青少年有嚴重的情緒問題，我們也在打來診所的電話中發現相同趨勢，有愈來愈多家長因為家中孩子像安姬一樣，而與我們接觸。跟他們一起生活的青少年很掙扎，陷入深淵，他們不是焦慮，就是憂鬱。以美國國家衛生研究院（NIH）研究主任高德（Philip W. Gold）的話來說，「憂鬱就像自體免疫，代表適應性反應失調，這其實是一種出錯了的壓力反應。」

有以下問題的青少年人數也逐年攀升：情緒問題及反社會行為；衝動性冒險行為；藥癮、酒癮、賭博及色情上癮；蓄意自殘；飲食失調；睡眠失調；身體形象障礙。就像德國浪漫主義用「狂飆突進」（storm and stress）來描述時代氛圍，如今強度還要增強十倍，以致於許多人在青春期進入了「煎熬與混亂期」。

上述提到的每一個心理及行為問題，都可以回到我們的隱喻「引擎空轉」上。這並非是說能量庫存耗竭是各式各樣問題的起因。在許多例子上，剛好相反。社交、情緒或學習問題，是使能量庫存耗竭的隱藏壓力源。但無論原因為何，青少年都長期處於低能量的狀態，伴隨過高的壓力，能量／壓力比嚴重失衡。大腦在這種狀態下的自然反應會加劇問題，在孩子最需要採取行動時要孩子別動；或者在孩子最需要休息時要他繼續活動。

但是，為什麼青少年會發生這樣的狀況？從以父母為中心的調整，朝向同儕的共同調整及自我調整，從童年到成人的轉變之大，不難理解。

如果青春期具有演化上的目的，那麼要了解為何今日有如此多人受苦，即可由現代世界與更新世時打造的生理結構兩者間的根本衝突，來尋找線索。正如葛路克曼（Peter Gluckman）所說的「不搭調」（mismatch）*，正在對青少年造成過度壓力，並顯示在大規模的健康問題上，心理及生理皆然。

古代青春期提供給今日青少年的線索

青春期始於十到十二歲之間，伴隨著青春期前的大腦大爆發，強勁的神經生長、突觸修剪、髓鞘形成及迴路重建，是段重要的大腦翻修期，也是大自然完全改變童年大腦

* 譯注：葛路克曼是紐西蘭小兒科醫生，曾任紐西蘭總理首席科學顧問等職。他曾在同名的書籍中提出，如今人類的身體已與環境的發展不相符，因此產生如糖尿病、心臟病及肥胖等許多健康問題。

運作過程的方式，讓某些事慢下來，其他事則加快。這不只是春季大掃除，還是不折不扣的大重組。

在生命早期，大腦以不可思議的速度成長。到六歲半時，便完成了百分之九十五的成長。這段期間，孩子的核心感覺、運動、溝通、情緒、社交及認知歷程，都已牢靠建立並整合起來。到了童年末期，大約七歲左右，大腦已處在高度穩定狀態。所以，在維持了兩、三年之後，為什麼大自然竟突然決定讓大腦變得不穩定？這就有點像好不容易拼完一幅大拼圖，大自然又決定把拼圖打散，丟回袋子裡，重新來過。

青春期令人困惑的不只是生理層面。絕大多數哺乳動物，從童年到成年是無縫接軌，青春期的特徵是成長速率下降，直到穩定的維持水平，即被視為是成年期。但在人類身上發生的現象剛好相反，到了青春期，成長速度突然加快，每個青少年的家長都深諳此點。女孩、男孩、身形、身材、感覺及情感，每一件事都突然間如裝了渦輪引擎般動起來。

成長陡增與青春期釋出的性荷爾蒙有關，這一點我們都覺得理所當然，但仍令人費解。性荷爾蒙一出生就存在了，為何不像絕大多數哺乳動物那般，以緩慢漸增的方式釋放呢？為什麼要突然爆出大量雌激素及雄性激素，令人類青少年陷入混亂？為什麼在肌肉對脂肪的代謝上有許多重大改變？這是大自然在生存遊戲之前，讓青少年振奮起來的方法？大腦的能量效率也起了變化。這一切若能更早開始，不是比較合理嗎？而且為什麼褪黑激素會發生變化，大幅改變了青少年的睡眠模式？為什麼極端躁動的階段之後是全面崩潰？或許最令人費解的是，為什麼大腦「獎賞系統」的關鍵變化，對於青少年的冒險行為有這麼深刻的影響？

所有問題的答案就是，青春期代表著人類因二次晚熟（secondary altriciality）＊所帶來的優勢，而必須付出的代價——嬰兒期大腦的成長是如此重要，因此我們在全然依賴的狀態下生活的時間特別長。且聽我繼續解釋。

孩子進入青春期，會從一種社會運作模式，轉換到另一種社會運作模式，也就是由童年期父母主導模式，轉變成青春期同儕組織模式。間腦發展到此一階段，青少年會變得更加仰賴朋友、而非父母。這是為何青少年會變得這麼受同儕影響的重要原因。

孩子被迫走出狹窄、備受保護的家庭領域，進入社群的真實世界，終其一生，他必須在真實世界裡與人競爭及合作。漫長的童年總有結束的一天，孩子要變成獨立、自給

＊譯注：altricial 指的是弱雛、晚熟，幼體出生後需依靠親代照顧一段時間，才能始自行覓食，獨立生活的情形。

自足的成人。就為了這個重要目標，青春期前的大腦大爆炸，可說是大自然用來迫使孩子離開家園的方式。

正如我們所知，青春期還有一項特徵，即冒險程度提高。用來調控腦內冒險衝動的神經系統仍在緩慢成長。這可以借用一個貼切的說法來描述，青少年的大腦像是一級方程式的賽車，卻缺乏經驗老到的駕駛。甚至於，這名青少年駕駛的車上還載著許多青少年。青少年的腦袋容易分心，而且大腦還會催促他開更快、更遠，沒有油表或時速表，甚至也沒有後照鏡。更糟糕的是，教練提醒他在變換車道時要檢查盲點區域，他也嫌嘮叨不聽。

對青少年，說還是不說

當我跟安姬說話時，我一點也不會想到（當然我也不會對她這樣說）要她「把襪子拉起來」，以及好好努力生活。安姬正打一場屬於她自己的戰爭，每一天就只為了下床。光是努力做到最基本的日常事務，她所付出的努力便已非比尋常。

她迫切需要的剛好相反，是早晨起床時少一點努力，而非更加努力。向她解釋她的恐懼有多不理性，或者她還只是個孩子，眼前有大好前途等著她，對她也不會有幫助。

事實上，這些話她爸媽全說過了，卻無濟於事。

我們對待青少年的方式（尤其是對於青少年，因為我們確定他們已經大到聽得懂了）就是向他們解釋，要他們看見自己有多不理性，或者只需這樣做、那樣做就會感覺好一點。這也可能是你在使用自我調整時不自覺的做法：試圖告訴他們，自我調整是什麼，為何補充能量對他們來說這麼重要。

但問題不只一個。他們正在經歷巨大的發展階段，而且壓力升高時，所產生的效應跟孩童時期是一樣的。在他們進入戰或逃反應、或者凍結狀態時，前額葉系統同樣會關閉起來。這時的他們就跟孩童一樣，完全不可能理解你說的話。要是逼得太緊，要他們一定得聽進去，他們也同樣容易進入邊緣系統高度喚起的狀態，甚至不只於此。

有些很真實的壓力源，可以說明如今青少年普遍感到焦慮的現象。但是在跟青少年開始談這些、並試圖讓他們理解壓力源造成的效應之前，先要幫助他們做到自我調整的五個步驟。最重要的一點，是由他們自己一一做到這五個步驟。也就是說，青少年需要認知到某些事情的重要性，譬如起床有困難，或是入夜後控制不了自己。他們必須找出自己的壓力源是什麼，如何降低壓力源。他們必須學會（或者重新學會）冷靜是怎樣的感覺，並且找出能讓自己舒緩下來、恢復活力的方法。

今時今日，要做到這些，對家長來說尤其困難。青少年暴露在多重壓力源之下，別說是他們，連我們都沒能辨識出來。而青少年往往堅稱，這些壓力源根本沒對他們造成影響，這也會讓情況更加困難！然而，儘管家中青少年想把爸媽推開，爸媽的第一步做法，還是要幫他們補充能量，因為當孩子引擎空轉時，根本聽不進任何話。還有其他相當強大的原因，讓青少年容易處於空轉狀態。

青少年超耗能

每一個家長都清楚，青春期的熱量攝取開始大量增加。一個活躍的十四歲孩子所需的卡路里量，可能會是一個活躍的八歲孩子的兩倍。能量需求顯著增加，很顯然與成長陡增以及（理想上）活動程度的增加，有密切關連，但也不盡然如此。另一個關鍵因素是青少年消耗的能量極大。

進入青春期，同時也宣告了對壓力極端敏感的時期來臨。邊緣系統及下視丘—腦下垂體—腎上腺軸（HPA軸）起了重大變化，神經內分泌系統由此部分控制壓力反應，並調控內在歷程，影響皆可見於皮質醇的濃度或是降低、或是提升。彷彿青少年的神經感知系統正在重新校準，而且牽涉其中的不只是杏仁核。青少年對於環境壓力、視覺、聽覺、嗅覺、觸覺，還有最重要的社交壓力源，敏感度都大幅增加。

青少年對於社交壓力源尤其敏感。最近的研究顯示，青少年對「負面影響線索」（皺眉、輕蔑、或是語氣尖銳）表現出高度敏感；還不只如此，他們也對負面訊號的感知有較強偏見，儘管這些訊號不見得是負面的。重要的是，青少年的情緒辨識能力要比小時候更糟糕。青少年傾向於把中性臉部表情視為威脅。儘管是極為溫和的臉部表情或語氣，當青少年愈是疲倦，就愈會將這些表情或語氣視為威脅。

為什麼這件事很嚴重？因為這意味著青少年的警報系統很容易響起，對某些青少年來說，簡直敏感到一觸即發的程度。青少年的杏仁體就像煙霧警報器，當你只是把水煮沸，他們的警報器就響了。而且每一次警報響起，緊張程度就陡升，能量消耗也攀上高點。甚至於，睡眠不足會使壓力反應及負向偏誤加劇，但今時今日，絕大部分青少年的睡眠時間明顯大幅減少。

一個十六歲的孩子，依舊需要每晚九個小時的睡眠，或許還需要更多。值得注意的是，現在很少孩子能持續得到充足睡眠。睡眠不足對於紋狀體系統（striatal system）有深刻影響，這部分的大腦與獎賞決策強烈相關。

缺乏睡眠的青少年容易冒更大風險，卻不太關心可能的負面後果，真是不見棺材不掉淚啊！然後，青少年的壓力又衝到頂點，迫使他們做出任何有理智之人都感到驚訝的行為。

青少年搞小團體，大有益處

長期身處「活力」（ergotropic）*狀態中，壓力會燃燒掉大量能量，青少年能如何從中復原呢？增加體力活動、做瑜伽、參加音樂與戲劇活動，以及冒險計畫，都已證實對恢復能量很有效。但是以上活動在以小團體進行時，會最為有效。這也跟演化動力有關。早期人類生活在一兩百人的社群中，所以當青少年聚在一起嬉戲、旅遊或是狩獵，人數不會太多，這是有助於他們感到安全穩當的關鍵因素。

試想，在學校裡跟一兩百個孩子同年級，甚至全校有上千名學生，那種感受，足以讓你自覺像是隱形人。我在卡特中學待了一整天，也看了美式足球賽，在大部分學校，美式足球隊都是個與眾不同的團體，儘管學生總數超過一千八百人，依然如此。所有球員身上穿的運動衫或T恤上頭，都有牛仔騎馬的圖案。當我攔下三個結伴同行的球員，詢問關於圖案的設計理念時，他們解釋，那跟隊名「牛仔隊」有關。這個符號顯然令他們感到驕傲，他們的隊服也是一樣，贏得了整個社群、學校及校外人士的尊重。不過，這裡頭不僅僅與自尊有關，他們的社會認同也是安全感的來源。

這是人類的天性，在青少年身上尤其明顯。青少年需要建立在共同目標上的小團體活動，這個共同目標需要他們犧牲奉獻，並付出比滿足自我更大的努力。要發展出心理復原力，他們必須成敗與共，也才能因此發展出持續面對逆境的動力。對一個團體的認同感若不夠強，就不會產生個人的認同感。要發展出認同感，必須要有能鼓舞、挑戰並啟發整個團體的目標。

當電玩成了團體社交的替代品

令人擔憂的是，如今許多青少年都不再選擇需要技能、鍛鍊及奉獻的傳統團體活動，而偏好團體活動的「替代品」，譬如線上遊戲，這類活動所需的技巧並非真實的能力，而且在許多方面可說是沒什麼大不了的「技巧」。

花了無數小時精通某些網上遊戲的青少年，是新興的網路「明星」。才不久之前，我跟一群十多歲的男孩在下課後聊天，他們告訴我，他們要各自回家之後再一起玩。當

* 譯注：由瑞士生理學家、諾貝爾生醫獎得主赫思（Walter Rudolf Hess）所提出的兩種機制及運作狀態，另一個是休養生息（trophotropic）系統，兩者交互運作。

我一臉疑惑時，才向我解釋，他們會在家一起連上 Skype，然後結伴打線上遊戲，或者在線上遊戲裡對陣。這件事本身完全無害，甚至非常好玩。但是，當線上活動變成是青少年之間主要的同儕互動模式後，問題就出現了。

一百多年前，生物學家洛布（Jacques Loeb）發現了昆蟲費力爬上樹梢的原因。長久以來，生物學家認為昆蟲一定有尋找食物的生存本能。但是洛布發現，昆蟲有光受器，吸引牠們朝向光線最多的地方，也就是樹梢爬去。湊巧的是，這裡也是食物最豐富的地方。在青少年受電玩或社交媒體吸引的例子裡，這類產品的開發是為了滿足孩子尋求感官刺激及社交的需求，但卻沒有引導他們前往豐富的食物來源，我們在下一章將會讀到，這些產品還可能會使他們挨餓。

團隊運動鮮明呈現出青少年社交參與及支持系統的現象，當然，並非每個青少年都要成為運動員。打從人類有史以來，就必定有思想家、藝術家、發明家、說故事的人、詩人、科學家、商業鉅子及胸懷大志的政治家等各種角色，而且當然，這些「角色」是不會互斥的。重點不在於青少年不應該打電動或上臉書互動，而是花太多時間在這類活動上面時，會對青少年的壓力水平產生有害的影響。

當青少年是團隊的一份子，無論是一群衝浪者、搖滾樂團，或議員競選團隊等，你必須確認他的參與，是升高還是降低他的壓力水平。這一點同樣適用於電玩或社交媒體。有些家長覺得，打電動有助於青少年與同儕建立一定程度的連結；有的家長則看到過度投入電玩，令人不安的跡象，並採取霹靂手段，以戒除被視為危險的上癮症頭。

在電玩上癮的例子裡，有許多健康相關問題（背痛、頭痛、眼睛疲勞、腕隧道症候群）；攻擊性升高或人際交往能力出現問題；在學校也出現缺乏注意力及動機的狀況。過度使用社交媒體，與受人排斥的感覺、要娛樂他人的壓力、偏執、嫉妒他人的生活型態以及憂鬱等狀況相關。打太多電動、花太多時間在社交媒體上，一點也不會增加安全感，反而會造成反效果。青少年需要朋友，不只是讓彼此感到有趣，他們需要朋友，幫助他們面對壓力。

一直以來，焦慮被視為軟弱的表現，這種看法會使問題更加嚴重。我看到安姬除了正承受生理上的壓力之外，還將這份痛苦內化為性格缺陷，這只會使她更加焦慮。安姬在我們第一次晤談時流著淚問，「為什麼我這麼可憐？」但是，她必須學習到，**所有青少年都必須學習到，他們為何會感到焦慮或憂鬱，這跟他們是否軟弱，一點關係也沒有。**

小孩感到焦慮，正是自主神經系統過度勞損的現象，對青少年也是如此。高度焦慮無疑是長期邊緣系統喚起的徵兆，因壓力承載太大，又缺乏能幫助青少年減輕緊張、從耗損中復原的社交活動所致（經常五個領域全都涉及）。

身為家長，我們協助孩子調整的角色並未消失，只不過在這趟間腦之旅上，對青少年來說，要關閉已響起的警報，同儕的角色十分關鍵，跟爸媽在孩子小時候扮演的角色不相上下。儘管社交媒體有其優點，對安姬來說卻沒什麼幫助，正如對許多有社交焦慮的青少年來說，也是一樣。

真正「面對面」，才有助於青少年

社交參與是大腦面對壓力的第一線，需要「近端」的互動，像是碰觸、眼神交流、具有同情心的耳朵、舒緩的聲調。我們對近端互動的需求，會持續到人生最後一刻，這也是為什麼當老年人是社交團體的一份子時，會做得如此好的原因。

「遠端」互動，譬如電話或社交媒體，則可滿足連結感的需要，但不能取代近端互動的好處。遠端互動無法促進青少年需要從彼此身上獲得的安全依附，這種依附感能幫助他們度過生理及社交上的改變。

值得關注的是，儘管現代科技在學習及個人發展上，創造出非凡潛能，媒體卻也會使青少年產生高度焦慮。這肯定是許多青少年沒有獲得足夠睡眠的重要原因。研究亦顯示，青少年的進食模式也受到影響，並且進一步影響青少年尋求豐富感官刺激的需求，令已過度運作的自主神經系統更加超載。

其他壓力源，還包括高度競爭，這幾乎出現在青少年生活的每一個面向。除了成績好壞與是否受人歡迎的傳統壓力之外，如今青少年證明自我的衡量方式，難度比以往更高了，像是淘汰率高的學校、社交媒體「聲望」，以及物質上的成功。

許多時候，儘管是出於高度善意，或許還加上過度的野心，我們創造出的國高中經驗，忽略了孩子與青少年最基本的發展需求，而選擇了追求完美的績效衡量方式，這種做法既不明智，也無法持久。近日的趨勢尤其令人擔憂。

最近我接到邀請，詢問我們是否能將自我調整帶到某個遠東國家，該國以擁有眾多頂尖科學家及工程師聞名。他們來找我們的原因是什麼呢？因為該國政府對於青少年族群爆發心理健康問題，深感震驚。

不搭調理論說：要少吃、多睡及多散步！

這一章先前提到了葛路克曼的「不搭調」理論，他在《不搭調：為何我們的世界不再適合我們的身體》（*Mismatch: Why Our World No Longer Fits Our Bodies*）當中闡述了他的理論，理論的基本原理是，儘管我們能在惡劣的環境中發展出生存策略，但人類的生理結構與環境之間不搭調的程度愈嚴重，就會產生愈大的壓力，並使內在系統付出愈大的成本。將此理論應用到自我調整與五個領域上，便可看到壓力很大的青少年，即是不搭調理論的典型例子，從飲食到睡眠習慣，以及他們在清醒時做與不做的事情，比比皆是。

讓我們從青少年的盤子裡（或者是速食餐盒中）的食物開始看起。我們的牙齒形狀顯示，人類祖先花了相當多時間咀嚼塊莖及咬不動的肉類。咀嚼這個動作本身就有自我調整的效果，因為過程中會釋放具有平靜效果的神經化學物質，難怪口香糖在青少年市場大受歡迎，甚至連口嚼煙草也侵入市場。這一代青少年吃的多半是經過高度加工的食物，不太需要咀嚼，能提供多少營養，也令人懷疑。

推廣健康觀念的人，非常努力想終結垃圾食物，他們的理由我們全都聽過，包括青少年普遍有肥胖問題、糖尿病及其他慢性健康問題的人數增加。如今有研究顯示，垃圾食物會使喚起調控的機制造成混亂，這是影響五個領域的系統性威脅。所以，沒錯，飲食問題高居「不搭調」的榜單之上。

由於今日的狩獵—採集族群生活方式與昔日差異甚大，所以，要想像早期人類的睡眠模式，幾乎是不可能的。然而，可以確定的是，電燈的發明以及藍光螢幕，對人類睡眠模式有深遠影響。相關領域的資料指出，與十年前相較，青少年每天的睡眠時間，平均減少一到兩個小時，如果你家青少年不是這樣，我會相當意外。

無論如何，在所有的不搭調情況中，位居榜首的莫過於缺乏運動。無論早期的人類出走非洲時，青少年是否扮演關鍵角色，至少可以肯定，他們在白天時有大量運動，而且運動量大到嚇人。

根據對當代狩獵—採集族群的研究紀錄顯示，他們每天大約走三到四萬步的路，從當代城市人的角度來看，是很驚人的數字。幾年前，我到馬達加斯加進行一些工作，在某次旅行中，人們開車載我從島的這端經過內陸，到島的另一端。

沿途我們會經過走在山路上的青少年，山路高低起伏，絕大多數青少年的身上，都揹著家族要到市場兜售的產品，或是從市場採購回家的補給品。主要的城鎮通常都離他們位於山上的村莊十六到二十四公里遠！而他們幾乎每天來回，多半的人打赤腳，或是穿著夾腳拖！

散步對於降低青少年的壓力，非常重要，這不只因為他們花愈多時間走路，就花愈少時間在打電動或社交媒體上。散步好處多多，包括強化心肺功能、肌肉與骨骼的強度；促進組織新陳代謝，消除緊張；釋放腦內啡，在焦慮時對神經元產生抑制作用。青少年還能在散步中曬到陽光、呼吸新鮮空氣，聆聽大自然的聲音，享受美景。而且，散步的節奏還能產生一種冥想、自我催眠的狀態，激發創意，並恢復能量。甚至於，散步還能給雙足很好的輕柔按摩。

我們都知道，坐太久是青少年普遍肥胖的原因之一；久坐的生活型態，對於心情的影響也是相當重要的。安姬跟時下許多受情緒問題所苦的青少年一樣，經常久坐，她需要幫助，讓身體動起來，並使肢體活動成為日常生活的一部分。

許多學校也認真看待此事，我在推行自我調整的學校看到許多有效做法，都是在課程中融入少量運動。譬如，根據學生的回答，把學生移動到教室不同側。許多老師隔段時間，就要孩子站起來伸伸懶腰，或是做靜下心來的深呼吸。在「點燃自我調整」方案中，我們曾看過超棒的成果，做法是在教室後面擺放健身腳踏車，以備學生需要時使用。家長們告訴我，像Wii Fit或Wii Dance，也有助於家中青少年動起來，或是讓他們參加志工活動，重點不在於健身，而是讓他們透過身體活動來完成工作。

幫助青少年了解自己

散步及其他更有活力的運動形式，其實只是啟動自我調整程序的引子。真的要自我調整，青少年必須能辨識出五個領域的壓力源，像是知道哪些活動可以冷靜專注與保持警覺，要避免涉入哪些情境，或是事先做好準備。最重要的是，必須明白自己的油箱何時空了，或者自己何時會變得緊張。至少在剛開始，青少年會非常需要父母幫助。

青少年有種傾向，會只在乎當時的情緒，而沒有顧及自己的身體狀況。強烈的負面情感令人抵擋不住，青少年根本辨識不出生理及情緒的連結，更別提要他們了解能量枯竭／壓力失衡的狀況，與隨後的情緒變化之間更複雜的關聯了。

當青少年正與侵入性想法奮鬥，或是有負向偏誤，在電腦螢幕前花太多時間，被上癮物質吸引、漫不經心尋求刺激時，要他加強自我控制，是沒有用的。即使我們教青少年適應性調適策略（adaptive coping strategies）*，或是把他們放在需要通力合作以解決問題的情境中，如果他們自我覺察不佳，也不可能精通或使用新的認知或社交技巧。

今日的青少年科學研究有個重點主題，那就是我們嚴重低估了童年的持續時間。研究指出，青少年的大腦能力尚不足以做出決定或評估風險。因此，我們需要確保他們持

＊譯注：調適策略是個體用來抗壓的機制，若真能緩和壓力、解決問題者稱為適應性調適策略，否則即為適應不良性調適策略。

續接受必要的成人引導，以彌補仍未成熟發展的執行功能。這一點很重要，我們會因此用全新的觀點，來看待青少年的冒險行為，了解他們尋求感官刺激的生理因素，並且更清楚青少年在處理能力上的限制，可能會導向更危險的冒險行為。

人們對於青少年大腦有嶄新的理解，引發討論，我認為這是很棒的開始。接下來，還需要看到神經學、生物學、認知、社交行為及情緒調整，這一切是如何結合在一起，驅動了壓力循環，我們才能給予孩子所需的工具，以駕馭一級方程式賽車的引擎。

給青少年需要的工具，但不企圖代勞，這一點至關重要。從演化觀點來看，爸媽要記得，自己已不再是嬰兒及幼兒的爸媽，而是青少年的爸媽，此一角色轉型是很重要的區分。畢竟一個需要靠雙親密切監控二十到二十五年的物種，在大自然中難以存活，也無法指望父母能照顧那麼久。

這並不是說，爸媽及學校費盡心思去節制青少年的冒險行為是錯的，只不過無疑的，會需要這麼做，是現代才有的現象。今日社會環境的失調情形愈來愈嚴重，需要成人給出更多引導與教誨。

爸媽的挑戰在於，要在青少年有需要時挺身而出，以幫助他們在今日的世界安全航行，卻又要適度往後退，好讓青少年的自然發展歷程順利進行下去，下一章將有更多討論。畢竟，世界各地都有的成年禮意味著，長久以來人們將青少年期視為是由依賴到獨立的轉變階段，此突然的轉變，伴隨著因獨立而來的所有責任。我們必須格外小心，在盡力回應當代生活的風險時所採取的教養方式，不要與青少年大腦最基本的發展需求背道而馳。

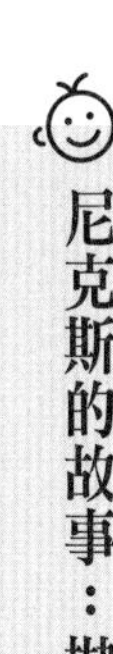

尼克斯的故事：拋棄了自己名字的女孩

有個十五歲大的女孩來見我們，她一現身，就令人印象深刻。她穿得一身黑，留著一頭刺蝟短髮，耳朵、眉毛及鼻子上都穿了釘子。可是，令我們印象深刻的，不是她的衣著或身上穿洞，而是她渾身透露出的悲傷與憤怒。

她拒絕使用爸媽為她取的名字「瑪麗·凱薩琳」。她為自己取了個哥德式名字「尼克斯」，帶有黑暗與混沌的氣息，如今這是她唯一接受的稱呼。每一次她媽媽說起這個名字時，你都可聽到她的聲音略帶哽咽。

從小愛跟自己玩

她媽媽告訴我們好幾次，她不了解這小女孩出了什麼事。以前她最喜歡打扮成公主，還會花上好幾個小時玩洋娃娃。在媽媽心裡，她曾是個完美的寶寶，幾乎每個晚上都睡得很熟，也很少哭泣。整天滿足的躺在嬰兒床上，撫摸防撞床圍的不同質感。

有朋友告訴這位媽媽，刺激嬰兒感官很重要，所以她就在嬰兒床上掛了色彩繽紛的電動音樂鈴，寶寶很喜歡盯著看。等寶寶再大一點，她也買了同樣是設計來刺激寶寶感官的遊戲墊。寶寶會躺在床上，盯著各式各樣的吊飾看上好幾個小時，或者用手搓揉不同材質的織品。

媽媽跟爸爸都很努力與寶貝女兒互動，但他們也都認為，寶寶獨處時，似乎是她最快樂的時候。當他們對她做鬼臉或亂唱歌，她通常會露出微笑，或是笑出聲來。但是他們說，她是那種喜歡自己玩的寶寶。所以，他們就愈來愈常讓她自己一個人玩，如媽媽所說，不想「闖入她的私人空間」。

媽媽很認真研究兒童發展檢核表，她對女兒的發展總感到一絲焦慮。女兒會坐與會爬、牙牙學語、對自己的名字有反應及開始說話的時間，都比表上的時間晚了一些些。但是，走一趟小兒科，總是能讓人感到心安。「別擔心，有的孩子就是會花多一點時間。」

確實，孩子的發展慢了一點，但從來沒有任何嚴重的動作或語言遲緩問題。

什麼活動都不愛

媽媽心頭還有一絲揮之不去的擔憂，那就是小女孩不想跟其他小孩玩。在幼兒園時，她喜歡自己一個人玩。在小學時，她從不在下課時加入其他孩子的嬉戲，總是獨自坐在角落。她從不參加生日派對，也不想開生日派對。媽媽很自然聯想到自己：「她一定是遺傳到我的氣質！」

媽媽試著讓她對芭蕾舞課產生興趣。她三歲時去學芭蕾時，穿上緊身衣與紗裙，似乎讓她很開心。當老師給孩子緞帶與棒子時，她也很喜歡。但是到了第二年，她總會有一些理由，不去上芭蕾舞課：胃痛、喉嚨痛等。不知怎地，雖然沒有人決定不上了，但芭蕾舞課似乎就慢慢淡出了。

媽媽跟爸爸還是想讓她多參與社交活動，他們試過美式足球、跆拳道、音樂，但似乎沒有一樣行得通，就連靜態的繪畫課也不行。她會表面順從，去個一兩次，但是同樣模式總是一再出現，突然間她又不舒服，開始胃痛、喉嚨痛。最後媽媽跟爸爸決定，既然她獨處時很開心，強迫她去做些她顯然不喜歡的事，就顯得殘酷了。

正如媽媽與爸爸所見，她根本一個朋友也沒有。事實上，儘管他們一直鼓吹，她還是拒絕參與任何社交活動，並不斷抱怨同學「膚淺」及「可悲」。她會把自己鎖在房間裡好幾個小時，聽音樂、寫詩或散文，但都只寫給自己看。事實上，她變得愈來愈難以溝通。她也成為英國哥德式搖滾教父級樂團巴豪斯（Bauhaus）的死忠樂迷，一整天都用iPod聽他們的專輯。

感覺自己還活著

另一個值得關注的原因是，她的體重開始直線上升。她原本有點矮胖，但是現在她顯然過重了，而且頭一回出現睡眠問題。她會連續好幾晚睡四到五個小時，之後又「趕進度」，像跑馬拉松般連睡十二個小時以上。有時候，她爸媽根本不確定她前一晚到底有沒有睡。她變得愈來愈疏離，甚至難以說上一句話，也不一起吃晚飯。如果你逼問她，她會堅持說她很「好」，可是她的行為跟心情卻不是那麼一回事。

她的雙親對於她的生活所知甚少，只有從第三者那裡知道，尼克斯在臉書上貼了一首詩，說她用刀子割傷自己。他們立刻安排她去見心理治療師，治療師告訴爸媽尼克斯非常焦慮，她對自己及他人都感到十分憤怒。她之所以會開始割傷自己，是因為「只有在這時候才感覺自己是活著的」。

治療師謹慎強調，她並不覺得尼克斯有自殺傾向。她是這麼說的：「她沒有心理疾病，但也不算是心理健康。」這是我聽過很貼切的說法之一，適用於時下許多青少年，也許適用人數遠遠超過我們願意承認的數量。

這位治療師對我們在自我調整上的工作頗為了解，她推薦尼克斯的爸媽帶她來見我們。治療師認為，尼克斯長期處於低度喚起狀態，像是能量低落、興趣不高，並希望我們能幫忙找出困擾她的壓力源，提供自我調整策略的建議。

並非獨處時比較快樂，而是需要人去逗她

整體評估下來，尼克斯在好幾種感官刺激上不夠敏感，這意味著她需要再多些刺激，像是光線、聲音、觸覺，以及甚至味覺，才能感覺「是對的」。這可能是她在嬰兒期受到視覺及觸覺刺激所吸引的原因，也是為何在進入青春期之後，她會一天到晚拿著iPod不放，並受到高卡路里食物所吸引，這類食物使用鹽以提高甜度，或添加味精，以刺激麩胺酸受體。

除此之外，尼克斯很明顯正與微妙的社交壓力奮鬥著。在成長過程中，她多半獨自一人，這使她少了必要的經驗，以學習如何心智解讀，從手勢、眼神、語氣及身體姿勢，來了解他人想法。她也沒發展出同理他人的能力，去了解朋友的感受。

我們懷疑這些缺陷，很可能在相當早期就出現了，她爸媽卻將之解讀為這個嬰兒「獨處時似乎最快樂」，但事實上，這是寶寶需要別人多去逗她的徵兆，慫恿她參與日常生活中無數的雙向互動，好發展出雙親與孩子之間的間腦，以及心智解讀與利社會技巧的基礎。

不是不愛互動，只是缺乏社交技巧

但尼克斯的問題，不僅只是不太能從細微的跡象中，明白自己的行為或言語對他人造成的影響。她在調整強烈情緒上也有困難。

她媽媽提到，尼克斯還小時，從來不生氣；偶而在她動怒時，都會待在安靜的黑暗空間，直到冷靜下來為止。等她進入青春期，一旦面對別人強烈的憤怒或痛苦時，她會承受不了內在焦慮或痛苦，並且關閉自己。

由於她在表達及調整強烈情緒，能力明顯不足，再加上她內在麻木與孤獨的感受，使她在情緒上、社交上及生理上，付出了慘痛代價，造成她有睡眠問題，並且一受到壓力就猛吃垃圾食物。簡言之，她陷在壓力循環中，各式各樣的壓力源都使她在自我調整上的問題更加惡化。

其實，尼克斯對於與同儕互動的需求，跟任何青少年一樣強烈，只是她缺乏技巧來建立有意義的關係。她轉而投入線上的哥德社群，以滿足深層的需求，但是這個途徑並無法像傳統同儕互動那般，幫助她做好自我調整。

多做有益的活動

尼克斯需要好幾個不同領域的協助。顯然她必須培養更好的睡眠與飲食習慣，還需要參與在社交及利社會領域對她有益的活動。然而，當她跟爸媽開始做自我調整之後，還是要注意這一章關於青少年大腦的幾個重點，尤其是加入有共同目標小團體的需要。

在尼克斯開始做自我調整之後的過程中，最重要的改變，可能是她加入了學校合唱團。唱歌這件事對神經系統有高度調整作用，打從她開始嘗試唱歌那一刻起，尼克斯就發現唱歌讓她很開心。原來她有一副美妙的女高音歌喉，所以唱歌讓她開始發光發亮。或許更重要的是，現在她所參與的團體活動，使她跟別人有相似的興趣。從她跟別人一起唱歌的社交能力及熱情，都可看出她想成為團隊一份子的渴望，有多強烈。

現在，她是個充滿活力的年輕人，在她因某些事情感到壓力、需要找人聊聊時，她偶而還是會去找爸媽，絕大多數爸媽也會期望家裡的年輕人這麼做。不過，她對自己的生理需求與情感脆弱度，有了更深刻的了解，她有各式各樣的朋友，不只是合唱團的朋友。

如今她已是大三學生，現在的狀態可說是「心理健康」。她能好好照顧自己，並感到自豪。或許最能代表一切的是，如今她選擇使用爸媽給她的名字「瑪麗．凱薩琳」。

11

再多都不夠：為什麼青少年總是好無聊、好想要？

刺激過度、興奮過頭，令孩子還想要更多、永不滿足的喊「我好無聊」。有效戒除孩子上癮行為的做法，不是嚴格禁止，而是著手解決已經超載的壓力負荷。

在這個七年級班級中，有好幾個學生有嚴重的行為、情緒及注意力問題。班導師W女士是位充滿熱情、經驗豐富的教育者，為此她備感壓力。

「我在教室裡，總會遇到一兩個很難搞的孩子，」她說，「但是這麼極端的狀況，我從未見過。他們真的影響到班上同學了。」

孩子已不再能娛樂自己

我在星期一一大早拜訪他們班，許多男生在週末時一起玩「決勝時刻」（Call of Duty）這款暴力電玩。他們睡得很少，甚至有人根本沒睡。

在得悉每一個學生都打過美式足球、袋棍球或曲棍球之後，我問他們在比賽結束之後感覺如何，有個男生脫口而出：「我真的感覺很平靜。」他的話讓我驚訝：這真的是自我調整成功的感覺。有很多孩子甚至說不出他們在何時感到平靜。當我問其他男生，每一個男孩的回答都一樣。但是當我問：「當你今天早上必須起床上學時，你的感覺如何？」每一個男生都承認：「我覺得真是糟透了。」他們很清楚不同種類活動帶給他們的感覺，但是當我問：「你會想去戶外玩曲棍球、美式足球，還是玩『決勝時刻』？」他們齊聲回答：「待在室內，玩『決勝時刻』！」這回答真是有趣，但也令人沮喪。為什麼他們不選擇美好的感覺，而選擇糟透的感覺？

珍與家人的故事是另一個例子。珍是我們沉著俐落的接待員，她剛收假回來，跟先生及兩個絕對磨人的兒子，原本打算趁一個禮拜的春假出遊，結果被迫取消行程。為了讓兩個男孩開心，她答應讓他們那個禮拜訂網飛線上影音平台（Netflix）。「這當然讓他們安安靜靜的，」她說。然而，那天早上，兩個孩子抱怨這個春假好無聊。她不懂。她讓他們隨心所欲，想看什麼就看什麼，而且一直看得全神貫注，怎麼會好無聊呢？

很多爸媽都問了同樣的問題。答案有部分跟今日的孩子受到過度刺激有關，他們已不再能娛樂自己。傳統的遊戲充滿想像力，能發展孩子的創意與機智，這是今日的孩子所缺乏的。

幾千年來，孩子們會一起玩古老的印度圖版遊戲蛇梯棋、躲貓貓遊戲、翻箱倒櫃玩扮裝遊戲，或是一起搭積木。但現在的電玩與線上遊戲，失去了面對面遊戲中的肢體互動與對話。孩子通常是跟電腦對玩，而不是跟另一個孩子一起玩。自我調整可以助我們從全新的觀點，了解失去人際互動的損失。

驚人的無聊生理學

相信讀這本書的家長都聽過孩子抱怨：「我好無聊。」我們把這種話，當成是孩子在描述自己內心的焦躁不安，找不到有趣的事情做。但是他們根本不是在說明自己的狀態，他們的話更像是動物的吼叫，哲學家稱為「招認」（avowal），也可以說，是激躁狀態的原始表達。孩子甚至可能只是哀哀叫，連話都不用說，我們立刻就明白他們的感受，這也是普遍表達無聊的方式；事實上，這可能省了我們還東猜西想。

研究顯示，**過度刺激會令人無聊**，自我調整能告訴我們原因。當我們讓孩子參與過度刺激的活動，致使他們感到無聊時，他們的皮質醇直線飆升。會發生這種狀況，是因為刺激腎上腺素的活動，譬如線上戰爭遊戲，會使孩子動用能量儲存。這會增加孩子的皮質醇，也就是壓力荷爾蒙。「無聊」包括了一種特別不舒服的生理感受，這種感受來自於血液中有太多皮質醇。

當刺激來源被關閉，哺乳動物腦及爬蟲類腦對這種不平衡的回應，會是突然由高度喚起進入低度喚起狀態。古老的神經機制本是設計來中止能量流失，並促進身體恢復的，但對孩子來說，突然的轉變卻成了更劇烈的壓力源，有點像太用力踩煞車時的感覺。

這一切在在表示，我們需要採行自我調整的第一步，重新了解「我好無聊」這句話，其實只是在表達「我很不舒服」。這是孩子之所以哀哀叫的原因。這是「娛樂」活動使壓力升高後，自然而然的表達方式。如果不了解這一點，就會誤以為孩子需要更多刺激，此時我們所採取的做法，就會剛好背道而馳，也就是在需要降低孩子的壓力時，反而在無意間增加了他們的壓力負荷。我們需要把低度喚起的孩子帶回到平靜狀態，而不是讓他一下衝得太高，反成為高度喚起。

若你稍有接觸現代的經典數位遊戲，譬如「糖果大爆險」（Candy Crush）、「憤怒鳥」（Angry Birds，也許你自己就很迷這些遊戲），或許多這類看似令人「興奮」、實則麻痺心智的消遣方式，當你看到人們心甘情願玩得目瞪口呆時，就會問一個很合理的問題，科學家同樣嚴肅以對：如果這些遊戲不怎麼特別有趣，為什麼我們會泡在裡面那麼久？

大腦上癮了

神經科學家在一九九〇年代末期，便為這個問題找到了答案。我們當然都清楚一個重點，這類遊戲會促使腎上腺素釋放。但科學家更有興趣的是，電玩遊戲對大腦獎賞系統的影響。科學家發現這些遊戲會使多巴胺（渴望的來源）濃度加倍。這是個重大發現，而且這個解釋也是成癮科學的突破。

電玩遊戲會促使「類鴉片物質」這類神經激素釋放，使我們感覺良好。為何電玩遊戲會產生這種效應，原因眾多。不只是大腦對於獲勝的自然反應（儘管所謂的獎賞毫無意義），遊戲的鈴聲與哨音，像是鮮明的顏色與光線，以及擊中目標或被擊中時，突然大聲出現的噪音，也會影響大腦。然後多巴胺大量分泌，使得大腦想再一次得到類鴉片物質，一次又一次。

在類鴉片物質與多巴胺之間的互動，就是神經化學獎賞系統的運作模式。大自然的設計很簡單，純粹是為了生存，找到能提供能量的食物來源，然後讓吃那個食物的經驗變得愉悅（從更大的方面來看，這同樣適用於性；大自然希望確保我們會生兒育女！）類鴉片物質是會影響心理的化學物質，能夠產生愉快的感覺，並釋放痛苦或緩解壓力。

類鴉片物質會與散布在神經系統及消化道的受體結合。當疼痛、壓力或焦慮刺激神經元時，類鴉片物質會抑制神經元的活動，給予我們一些能量。這是為什麼能讓我們感到好多了的原因之一。

母奶中含有類鴉片物質，是促進哺育及依附的重要因素。類鴉片物質可透過運動而產生，甚至透過碰觸、擁抱或撫摸等，所有美好的事而釋放。隨後，一旦類鴉片物質與某個獎賞連結，像是吃冰淇淋，尤其是連結發生得很快時，中腦會釋放多巴胺，刺激腹側紋狀體的伏隔核，驅使我們尋求獎賞，並使我們感到焦慮，直到渴望得到滿足為止。所謂的「焦慮」，真的只是一種持續性恐懼或過度警覺狀態，可見於脈搏快速、呼吸很淺、流汗、瞳孔放大、感官過於敏感時，使我們保持警醒，隨時準備保護自己，或是追逐獎賞。

當我們一想到獎賞，或是遇到與獎賞連結在一起的刺激時，多巴胺就會釋放出來。大腦會釋放其他提高警覺與喚起的神經調節物質（去甲腎上腺素），調整我們處理資訊的方式（血清素），促進復原（乙醯膽鹼）。多巴胺會創造嚮往與渴望，因此對人的行為是重要的。可是，多巴胺過多，會導致不滿足及焦躁不安，這正是珍在孩子身上看到的狀況。

興奮過了頭，還要更多

當某件事令我們感覺愈好，就會想要更多，直到影響力減弱，不再產生愉快的反應為止。然而這會讓我們想尋求更多或更愉快的事物。

啟動獎賞系統，會創造出抵擋不住的慾望，想一遍又一遍玩遊戲，或一直看電影，一點也不想投入類鴉片物質分泌較少、卻有豐富多巴胺的經驗，譬如閱讀、打牌或桌遊。

暴力主題的角色扮演遊戲，或是第一人稱射擊遊戲，使孩子習慣處於較高的喚起狀態，使得比較平靜的遊戲不只無聊，甚至討厭。主打兒童市場的現代電影也是一樣。不難注意到兒童電影愈來愈吵、愈來愈暴力，卻少把注意力放在情節與角色發展的人性面向。這是刻意設計的，目的正是希望觸動神經的「最有效點」（sweet spot）。在焦點團體的電影試映會上，還會使用膚電反應、心電圖，或甚至功能性磁振造影技術，讓創作者可以為想達到的效果，校準電影帶給人們的感官刺激。一旦你的大腦習慣了緊張刺激的「變形金剛」（*Transformers*），就很難坐得住，看完一場樂聲悠揚的「幻想曲」（*Fantasia*）。

有證據顯示，激烈的角色扮演遊戲對於精細運動及認知會有些益處。但是重點在於，大腦內的原始系統會燃燒掉很多能量，使孩子迫切需要瞬間供給的能量。暴力電影對大腦的影響也是一樣。詩人哲學家柯立芝在一八一七年談到「自願暫停懷疑」（willing suspension of disbelief），這是指讀者對於故事的某些面向願意暫時拋開理性判斷，如今我們認為這個說法是因為邊緣系統的運作，在這樣的壓力下，前額葉停止了運作。可憐的哺乳類腦看到英雄涉險，送出訊息給爬蟲類腦，讓心跳加快。吵雜的音樂及強大的聲光效果，又增強此效應。而既然你哪裡都去不了，所累積的壓力就無法釋放。

我曾帶孩子去看這類電影，當電影結束時，我的邊緣系統彷彿剛跑完一場馬拉松，讓我感到筋疲力竭，我腳步蹣跚走進大廳。在我周遭，四處都是食物販賣機，通常我對這些販賣物碰都不碰，可是現在我好想大吃特吃，這種渴望真是難以控制。

永不滿足的一代

垃圾食物也落入跟暴力遊戲及電影同樣的獎賞範疇，這並非巧合。值得一提的是，垃圾食物被設計來刺激多巴胺的方式。要刺激多巴胺受體，這些「食物」（太多加工及合成物質，幾乎很難稱得上是食物）必須使類鴉片物質的釋放極大化。事實上，某種程度上，天然食物如糖、小麥，甚至肉類，也有同樣狀況。但是垃圾食物，或者所謂的超美味（hyperpalatable）食物，將這個現象帶到更高的層次。

要創造出超美味食物，技術人員會以脂肪、糖及鹽的不同組合做實驗，還有香味、外形、複雜的組成及質感，以達到「飽和點」（bliss point）*，使類鴉片物質的釋放達到極大。這刺激了多巴胺的產生，強化人的渴望，使銷售量激增。對食物製造商最美妙的一點是，在類鴉片物質釋放的效果退去後，使渴望增強的多巴胺仍在。

多巴胺陡增的力量強大到劫持了自主神經系統，無視於大腦告訴我們要休息、恢復、飽足的天然訊號，因此孩子會一直玩個不停、吃個不停，不會自然而然停下來。由於電玩設計師、電影製片人及食品科學家變得如此高明，神經科學家及公共衛生官員不得不高度關切超級興奮劑的影響。

不只是類鴉片物質與多巴胺構成的迴路會造成問題，這些遊戲跟食物還會使孩子比剛開始玩或吃時更加耗乏，就會需要更多類鴉片物質。超級興奮劑對每個孩子的影響不一，有些孩子即使某種程度已經「上鉤」了，超級興奮劑對他們的影響，還是沒有酒精或藥物來得嚴重。

* 譯注：讓我們能從糖、脂肪或鹽等成分獲得最大愉悅感的含量。

然而，超級興奮劑值得關注，不只是因為一旦孩子養成習慣後，將來有可能會去嘗試後果更嚴重、經過化學處理的類鴉片物質，也因為超級興奮劑在當下就會對孩子的情緒、行為及健康產生立即影響。

最大的問題在於，超級興奮劑干擾到會幫忙降低壓力的自然活動。舉例來說，咀嚼薯片或糖果棒，不只不像咀嚼蘋果，具有長期持續的自我調整效益（這是咀嚼及蘋果能緩慢釋放能量所造成的），還會扼殺孩子吃蘋果的興趣。

更深的憂慮是，薯片及軟性飲料一旦過量，真的會增加孩子的壓力負荷。譬如，當血流裡的鹽份增加，下視丘便會產生反應，以排除過多鹽份。身體脫水的孩子與青少年人數多得驚人，這會造成部分重要礦物質不足，影響清晰思考的能力。

能量突然陡增，及隨後同樣突然的能量崩潰，也會造成喚起調整及清晰思考能力的大混亂。所以，吃太多垃圾食物或玩太多電玩的孩子，就更加不會去思考自己吃了什麼或做了什麼。孩子愈是迷上這類產品，就會想要愈多。

深受刺激的孩子根本不是滿足的一代，結果恰恰相反，因為受到過多刺激，卻無法感到滿足，他們於是成了不滿足的一代。

馴服渴望的猛獸，幫助孩子負責

驅動渴望的因素，不只是當我們進食或做事時經驗到的愉悅感，還有當我們形成「刺激獎賞」連結時的生理及情緒狀態。生理、情緒、類鴉片物質及多巴胺這四個因素的連結，十分緊密。當孩子處在與他第一次吃薯片（或是玩刺激遊戲）時同樣筋疲力竭或焦慮的狀態下，邊緣系統會突然提醒他，上一回他吃薯片或玩刺激遊戲時，出現這種感受的後果。

事實上，在藥物、酒精及其他真正會令人上癮的事物上，也看得到同樣現象。數十年來，父母一直被告知，藥物的上癮成分力量強大，只要接觸過一次，就會讓脆弱的青少年上鉤。但經過這些年來縝密的研究，如今我們知道，使青少年容易受到傷害的，不是某種大腦無法控制的強力化學反應，而是青少年的生理及情緒狀態使他們去尋求某種化學物質，以壓抑自己的感受。甚至於研究顯示，有效控制青少年使用藥物的方法，不是讓他們拿不到藥物（這種可能性微乎其微），而是著手解決他們已經超載的壓力負荷。正是過大的壓力，使青少年試圖用適應不良的危險方式，壓抑巨大的痛苦。

自我調整強調自我覺察，學習了解內在線索，能幫助孩子發展出正念注意力，以留意生理及情緒狀態，免得一不小心就落入不健康的刺激獎賞模式。所以通常自我覺察這個步驟暗示著轉機，正如接下來約拿的故事所示。

約拿的故事：孩子總是心不在焉，怎麼辦？

約拿跟爸媽來見我們時，才九歲大。他走進我辦公室的第一天，狀況有點糟糕，嘴裡吃著薯片，卻顯然完全沒注意到自己在吃東西。

約拿的體重超重，但還不到肥胖程度；他看起來並不健康，這點令人擔心。他的皮膚有點蒼白，臉上明顯露出緊張神情。不過，真正的問題在於，他吃完一袋薯片後，又從口袋裡拉出一條巧克力。

他的家人來找我們，因為約拿在學校沒辦法專心。他不是特別過動，只是很不專心。他沒有打擾到其他人，也沒有沉浸在自己的世界。他只是有點畏畏縮縮。他的老師告訴家長，她「幾乎得衝著他的臉」，大聲叫他的名字，才能引起他的注意。她建議家長帶他去看心理學家，好「提升他的動機」，因為「如果他不開始專心投入，等他進入愈高段的年級，他將會面臨各式各樣的麻煩」。我們都明白的確如此。

在談話過程中，約拿吃著薯片，很顯然他心不在焉。看不出來在他心裡，除了下一片薯片之外，還想些什麼。他似乎處於自動導航狀態，不只沒有意識到自己在吃什麼，也沒有意識到自己正在吃東西，只是把一片又一片的薯片放進嘴裡，一刻也不停歇。等薯片吃完了，袋子發出窸窣聲，他方才停了下來。

助孩子意識到能量用光的訊號

不論是大人還是孩子，有很多人的情況跟約拿差不多。這也是當前我們在孩子身上看到的主要流行病之一（肥胖除外），垃圾食物當然是這種流行病的重要肇因。「不用心」（mindlessness）正在蔓延，人們不只沒有察覺到內心或周遭的狀況，也經常沒有意識到自己正在做什麼。

我們教約拿辨識，當他想吃薯片或糖果時，便是身體在告訴他，他的能量用光了。但我們不是對他說教，試圖用營養學理論告訴他，這個年紀孩子的能量需求、補充能量的必要及不要把能量用光。相反的，在第一次晤談結束時，我問他可不可以為我做一件事。

我請他告訴我，當他媽媽的車子汽油用完時，會發生什麼事。他媽媽同意把油箱裡的油用完，並確保約拿會看到油量警示燈亮起來的那一刻。

一個禮拜後，約拿來到辦公室，一臉興奮告訴我，有個紅燈亮起來了！爸爸告訴他，油箱裡頭有個浮標，當浮標位置過低時，儀表板上的紅燈就會亮起來。

我順勢問他，在他體內的油箱裡有沒有類似東西，當油量真的很少時，就會發出訊號呢？他認真想了好一會兒，終於放棄，並請我告訴他答案。我沒告訴他答案，只反問他，當他腦袋裡的小小聲音要他去吃薯片或糖果時，會不會就是這種訊號？他認真思考了一下，等他發現這中間的關聯時，他露出了大大的微笑。

不要克制渴望，而要認識渴望

我們跟約拿之間還有很多工作要進行，首先要幫助他了解壓力源有哪些，並了解壓力如何使能量流失。他需要能量來做許多事，譬如注意課堂上發生的事，或是關心自己吃了哪些食物。接著還得幫助他找到更有效的方式，來回應壓力沉重的感覺，而不是吃垃圾食物，或者一整天對學校的事漠不關心。

不過，一開始的「頓悟時刻」對他的改變極為重要。這代表關鍵的第一步，也就是發展出自我覺察，以調整自己。我們的目標不是要他克制渴望。這些渴望只是杏仁核、眼眶額葉皮質及伏隔核深處形成的某些強烈連結，所造成的產物，大腦的這些部位整合了情緒、情緒性行為及動機。我們的目標是要他認識到這些渴望的「意義」。

不必踏入戰場，就能戰勝渴望

當我們受到過大的壓力時，不管大人及小孩，都會受到超級興奮劑的吸引。傳統上，我們會鼓勵孩子多多鍛鍊自我控制，以對抗內心渴望。但是，要與欲望抗爭，需要消耗許多能量，甚至抗爭本身就夠累人了。從我們一踏入戰場的那一刻起，便已成了輸家，我們花在克制強大衝動的能量愈多，就愈可能在當下或不久之後屈服。因此，看似成功的節食，隨後往往會產生反彈效應。

自我調整的做法，則是從衝動的根源著手，從一開始就不必踏入戰場。這並不是教育孩子超級興奮劑有危險的好時機。自我調整告訴我們，根本不應該從認知的角度來處理，當渴望很強時，教訓孩子超級興奮劑有什麼危險，他們只會左耳進右耳出。能量消耗與恢復的問題，主要與生理及情緒有關。你跟進入喚起狀態的邊緣系統講道理沒有用，而是要讓它緩和下來，平息它最原始、最根深柢固的功能。

邊緣系統不只是個警報系統，也是「應急系統」（emergency response system，簡寫為ERS），會在你的油箱變空時發揮作用。ERS會搜尋記憶，以找出過去用來得到舒緩、並快速提供能量的東西是什麼。吃個甜甜圈，似乎很有用，因為以前吃甜甜圈，不只會讓我們得到安撫，還能快速釋放能量。甚至於，在這些情況下抗拒吃甜甜圈，需要耗費更多能量來控制自己，也會「支出」更多能量，使我們更加脆弱。如果不是吃甜甜圈，我們也會找其他獎賞，以獲得立竿見影的效果及能量。當這種情形發生時，就跟酗酒或吃藥一樣。

孩子愈是高度或低度喚起，大腦的ERS就愈是高度警戒。在此狀態下，孩子便會身不由己，想吃高卡路里食物，而不是營養成分高的食物。我們在工作中看到一件有趣的事是，當超重的孩子冷靜下來，變得專注警覺時，在體力活動之後，他們會想喝水，吃水果或優格。因為大腦對於需求的滿足有先後順序，除了滿足能量的基本需求，大腦還會送出訊息，以滿足身體對水分、維他命、礦物質，或會緩慢釋放能量之碳水化合物的需求。在緊急狀況中，大腦會先從垃圾卡路里燃燒起，但是在平靜的時候，則偏愛高品質的燃料，以獲得最佳的健康。

所以，甜甜圈及新鮮水果都是選擇，但是（這是一個很重要的「但是」）自我調整的目標不是要你壓抑過去的連結、推翻吃甜甜圈的美好回憶，而是要創造嶄新的正向回憶。我們學到最大的一課是，你無法說服孩子或青少年不要吃或不要玩對他們沒有好處的東西（祝你能說服成功！），而是要讓孩子去體會，當他做了某件能降低緊張、提升能量的事情時，他的感覺如何。一旦孩子的ERS回到待機狀態，他的渴望會立刻改變。之後當孩子對能量的需求激增時，下視丘會搜尋記憶中最喜歡的能量來源，找出更健康的選擇。

「城市化世代」的眾多壓力源

待在大自然裡的時光，在自我調整中扮演關鍵角色，尤其是當孩子對大自然有正面的經驗與連結，被大腦視為獎賞後，便可被壓力過大的邊緣系統搜尋到。想像孩子寧可到戶外散步，或是在樹下放鬆，也不想再打一個小時電玩。想像孩子長大之後，有深刻長遠的童年記憶，記得大自然曾是（至今仍是）平靜、喜悅及安慰的來源，當一天中的壓力令人喘不過氣來，迫切需要快速補充能量時，孩子便可走入大自然。

從明亮的光線及擁擠的環境，到「總是在線上」的社交媒體及網路生活，孩子的生活已愈來愈「城市化」，培育孩子與大自然的關係，便愈來愈具挑戰性。估計全球有百分之五十（到本世紀中，將會增加到百分之六十六）、美加有百分之八十一的孩子，生活在城市化或城市近郊的環境中。即使是生活在鄉間環境的孩子，也經常把時間花在電玩或社交媒體上。某種程度上，現在的孩子是城市化的一代，不管他們住在哪裡，普遍的壓力來源是睡眠不足、人工光線、緊張忙亂的活動、人群與交通，或工業噪音，在某些情況裡，貧窮與長期艱苦的生活，也造成了傷害。

過去幾年，許多科學論文將城市化視為孩子及成人壓力升高的主因。找出並了解逐漸累積的壓力所造成的影響，也有助於了解這些壓力對獎賞系統的影響。

稍早我們已知，獎賞系統會使孩子面臨到更多危險。舉例來說，睡眠不足會影響杏仁核，科學家擔心城市夜間的光線量會擾亂大腦機制。他們也同樣擔憂電腦及其他數位螢幕發出的光線。為什麼呢？這就要回到下視丘擔任大腦主控系統的角色。或者可說，是下視丘內部一個成對的構造，視叉上核（SCN），身體的生理節奏即是由此調控。視叉上核會製造神經化學物質，以回應身體內部的訊號，使身體維持在接近（但並非完全準確）二十四小時的週期，視叉上核需要外界線索，主要是燈光，以保持二十四小時的規律性。但是，更深層的重點是，此循環與機制是喚起調整及獎賞系統的一部分。下視丘以回應受驚的方式，來回應疲勞，做法都是調高喚起狀態，這會使杏仁核發出警報，並在與恐懼相關的記憶庫裡，搜尋能立刻安撫自己的方式。或者是啟動掃描潛在環境威脅的系統，如果喚起很強烈，大腦的主人就會到處看到威脅。所有噪音、突然的喊叫聲或暴力、交通及汙染，都會點亮杏仁核及與其有關的心理、認知及行為後果。

城市生活的壓力一下子又成為熱門話題，其原因（也是我對此議題這麼感興趣的原因）不在於全世界每一個城市都可見到瘋狂的交通堵塞，而是德國精神科醫師麥耶—林登柏格（Andreas Meyer-Lindenberg）的實驗室，在二〇一一年發表的論文，讓人看到城市化生活與杏仁核及前扣帶迴皮質活動增強之間的關聯。

我們對自閉症兒童所做的研究，正是針對這些系統。我們在接受治療的孩童身上看到，當喚起狀態降低，大腦用來思考、選擇、重新評估等活動的部位就亮了起來，這裡就是負責他們的思想、情緒及行為的部位。麥耶—林登柏格提出，城市化似乎造成某種狀況，與我們在孩童開始接受治療前所見到的情形非常相似。

值得謹記在心的是，引發杏仁核高度喚起的原因不只一個，來自各個領域的壓力源，還有與健康有關、範圍廣泛的複雜因素都有可能。對絕大多數人來說，城市生活的燈光、噪音及整體刺激太多，確實會使睡眠品質不佳。不幸的是，比較鄉間與城市睡眠模式的嚴謹研究不多，但是有些研究指出，鄉間與城市在睡眠量及品質上確實有差異，儘管科技及孩子「總是在線上」的媒體習慣，正在抹除城鄉差異。

對許多孩子來說，居家環境的壓力使得自我調整極為困難。在史丹福大學及哈佛大學甘迺迪政府學院聯合組成的「貧窮肇因研究中心」裡，伊凡斯（Gary Evans）及布魯克斯—甘恩（Jeanne Brooks-Gunn）的研究工作，以及華盛頓的美國國家科學委員會的科學家們證實了，壓力毒素如汙染、噪音、擁擠、住房條件不佳、學校空間不足、學校及社區的流動率大、家庭衝突及暴露於暴力及犯罪之中等，會對孩子的壓力反應能力，造成嚴重及持久的影響。

12

飽受壓力的父母，何去何從？

調整孩子，與你大有關係。十種方法，幫助你和孩子覺察壓力的早期徵兆，共同培養調整力。你會發現，你愈冷靜，教養的過程就愈順利。

今時今日，為人父母所承受的壓力非比尋常，爸媽不見得能比孩子容易保持冷靜專注及警醒。我所指的不是爸媽自己遇到的問題，而是單指教養的壓力。

我可以列出長長一張清單，揭示孩子帶給我們的各種壓力，相信你自己就有這麼一份清單了。然而，對於爸媽的自我調整，有五項基本壓力是重要且敏感的議題：

壓力一：希望孩子社會化

你花了無數時間，日復一日、年復一年，試圖教孩子「可被人接受」的行為準則，成天喊著：安靜！去刷牙！不要抓！排好隊！要跟別人分享！對別人好一點！要說對不起！

如果讓孩子社會化很容易，或是如某些人所說，讓孩子「正常化」，那你就永遠不必反覆說教，天底下也就沒有筋疲力竭、氣急敗壞的父母了。可世上到處可見又累又氣的爸媽。從學前教育到高中舞會，你發現自己總是陷在跟孩子的爭戰中：孩子不想做也不想理解你要他做的事，認為那一定很困難，或者乾脆忘記他該做的事。

不管你如何縮短社會化歷程，這個過程就是壓力很大，對孩子、對你都是。有些孩子因為氣質、特殊發展需求，或是慢性健康問題，比其他孩子的挑戰更多。你還必須面對其他困難，像是疾病、工作環境、混亂的家庭狀況，或是財務困難。不過，現在的孩子在社會化過程中遇到的壓力有些不同。

如今，才三歲大的幼兒，會因「不當」的言語或行為，被幼兒園勒令停學。我們已經看到這樣的態度，是因為分不清楚自我控制與自我調整所致，也看到了分不清這兩者，會對孩子造成的傷害。

不過，過分在乎這些因素，家長一直擔憂孩子的言語或行為可能會「不被接受」，最擔心的還莫過於後果可能會很嚴重，這樣一來，更會變得什麼都不能做。小孩及青少年通常不會意識到自己的言行，就像三歲小孩過大街一樣，什麼都不想，但是對家長來說，這項不間斷的社會化任務，風險已比以往更高。

壓力二：親子共享焦慮

爸媽的焦慮程度通常很高，並非孩子的言行令人煩惱，而是因為他們迫切渴望保護孩子，在孩子陷入掙扎中時，予以幫助並加以安慰。

我們實驗室的神經科學部門總監史帝本（Jim Stieben）做過一個有趣的研究叫「爸媽的同理心」，透過腦部活動，了解爸媽看到孩子投入充滿挫折的任務時，他們的同理心反應。在他設計的任務中，孩子若能累積到足夠點數，就能獲得獎賞。但是，就在孩子快要「贏得」獎賞時，這個遊戲突然變得難如登天，孩子便會失去先前累積的點數（別擔心，史帝本會讓他們最後全都拿回這些點數，每一個孩子在結束時都會贏得獎賞！）從掃描中，很清楚看到爸媽對壓力的神經反應（在前扣帶迴皮質腹側突然有密集活動）。

這部分的間腦功能需要非常認真看待，可看出我們與孩子的情緒起伏及挑戰之間有多密切的連結。我們愈能保持冷靜警覺，孩子就能愈快恢復冷靜警覺，這將反過來幫助我們保持冷靜，然後又……我想你明白這樣的循環了。

壓力三：競爭型教養

毫無疑問的，教養上的競爭，不只給孩子、也給爸媽帶來巨大壓力。有些爸媽之所以會在少棒聯盟或美式足球賽上表現得毫無理性，或者在孩子的比賽表現乏善可陳後斥責孩子，原因正是壓力。同樣的情況可見於孩子的學業、社交或其他成就表現。爸媽的野心、誇耀孩子的權利，最常見的狀況是爸媽的失望沮喪，這一切的一切，其實是爸媽的地位產生了危機，跟孩子一點關係也沒有。

壓力四：力抗生活中的超級興奮劑

超級興奮劑早已被視為生理壓力源，一旦過量，就會引發壓力循環。有一個長期壓力過大的孩子，也會給爸媽很大的壓力。但相較於嘗試讓孩子戒除超級興奮劑的壓力，前者便相形失色。

不幸的是，目前仍無單一的解決方法，垃圾食物、電玩及其他超級興奮劑已經相當普及，根本沒辦法讓孩子完全不碰。這樣的焦慮，又或多或少助長了爸媽的壓力。你可以斷然禁止孩子接觸，但正如政府的禁令沒什麼用，我們也很少有效禁止，尤其是孩子年紀愈來愈大之後。

與其跟孩子對抗，不如轉移他們的注意力，將之導向他們覺得更有興趣的事物，尤其是有助於孩子自我調整的事物，以減弱超級興奮劑的吸引力。

想做到這一點，是每位爸媽今日的困境。我們需要設下限制，並向孩子解釋為何有這些限制，光是這個過程就容易造成親子對立，令人感到壓力。而且今日的孩子會說：「可是大家都這麼做。」事實上所謂的「大家」，或許是龐大的線上文化讓孩子這麼想。

壓力五：超越過度簡化的教養類別，治本不治標

我們經常聽到，要做到成功的教養，關鍵是採取正確的「教養型態」。這個觀念來自於一九六〇年代晚期發展心理學家包姆琳（Diana Baumrind）的研究。從那時候開始，科學家就把教養行為分成四種基本型態：「權威型」、「獨斷型」、「放任型」及「冷漠型」。

但是這種分類法有其問題。問題之一是，不管你是個好相處的導師，或嚴格的軍隊紀律執行者，都沒有一種教養型態，能完全擔保教養沒有壓力，或者會有理想的結果。甚至於，我們很少遵循單一的教養風格，當孩子或我們自己的人生面臨不同挑戰、進入

不同階段，就會帶出我們不同的人格面向，或者跟孩子用不同的風格溝通。我們很少帶著意識選擇自己的教養「型態」，更多時候，只是按照從小熟悉的教養方式在帶孩子。此外，把重點放在教養型態上，最大的問題是我們忽略了孩子。

這些經典的「教養型態」，只是我們因應各式各樣的原因所採納的常規。當事情不順時，真正的重點，不在於採取的教養型態行不通，或者達不到我們想要的結果，而在於將我們推進負面模式的特定因素。

跟「放任型」父母說，如果他們現在督促孩子，等將來孩子大了，孩子會比較上進，這種話只會徒增父母壓力，這類型父母一開始會變得放任，就是因為受不了壓力。他們筋疲力竭，沒有多餘能量去控制孩子，儘管他們被引導去相信他們必須這麼做。我們所需要的是，超越這些標籤，並從治本著手。

過程愈冷靜，教養愈順利

壓力總是會改變我們回應孩子的方式。而這些壓力，可能與孩子的行為或當下情況直接相關，但也可能來自工作及他人，或者根本與孩子無關。五領域模型適用於每一個人，如果你在沒有能量的情況下空轉，能量耗盡的影響會波及自我調整的每一個領域，面對孩子時的壓力將會愈發沉重。結果，孩子也會跟你一樣感到壓力。接下來你會變得愈來愈固執，不是勃然大怒，就是退讓屈服，落入惡性循環。反之，你愈是保持冷靜專注，跟孩子產生互動，孩子就愈可能學得會你希望他學到的東西，並想清楚行為後果，處理情緒，維持能量，面對挫折。

這並不需要你改變性格或發揮意志力。你愈能練習調整自己，保持冷靜沉穩，便愈能即刻轉換情緒，並感覺自己在當爸媽時勝任自如。

在冷靜狀態下，你的「第六感」直覺會更加敏銳，自然更能感知到孩子的喚起狀態。同樣的，你也會更清楚自己及他人的行為對孩子產生的影響，並做出適切反應，冷靜處理。有時候你跟孩子難免都會感到不舒服，你將更能維持平衡的心情，並且幫助孩子也同樣平靜。

自我調整會幫助你學習，如何在初期即發現孩子進入低度或高度喚起狀態，也會協助孩子發展出自我覺察。然而，每個孩子都不一樣，當他們承受過多壓力時，會有屬於自己的獨特徵兆。正如我們所見，有些孩子會變得激動，有些則變得退縮。當你試圖向上或向下調整他們時，孩子的反應也各自不同。你與孩子發展自我調整的過程愈久，就會愈加熟悉種種早期徵兆。讓孩子感到舒緩或沮喪的因素，也會因人而異，而且他們的反應可能差異甚大，甚至在幾分鐘之內就看得出差異。

以下提供一些關於自我調整的寶貴經驗談。你有用眼睛及耳朵，傾聽孩子嗎？你的生活是按照孩子，或是自己的時間表呢？你教給孩子的是哪一種反應：獨立或依賴、精力充沛或無精打采、自信或順從？你有幫助孩子自我探索，還是在阻礙他？最重要的是，你有幫助孩子成為自己命運的主宰，還是你仍要他言聽計從呢？

發現徵兆、培養調整力的十種方法

尋找模式：孩子過度喚起的徵兆可能相當微妙，譬如臉色或聲調的改變、明顯的臉部表情，或根本面無表情。所以，我們必須透過孩子的肢體及語言，來學習了解孩子何時壓力過大。

專注在目標上：自我調整的焦點始終都是調整自己，而不是去解決因壓力過大而衍生或惡化的問題。這會讓你從「控制及糾正」行為、想消滅某種行為的心態，變得與孩子有更根本的連結，了解孩子的行為，一起加強自我調整。一旦自我調整開始發揮作用，許多行為、學習、社交及溝通上的問題，便迎刃而解。要把目標放在幫助孩子學習相關技巧與策略，這麼一來，孩子便能發展出自我調整力，尤其是受到壓力時。舉個簡單的例子，我們不只希望看到孩子在適當時間上床睡覺，更希望看到他們期待睡覺時間的到來。

慢慢來：跟孩子一起做自我調整，總會有學習曲線，有時很陡峭，而且每條弧線都不同。令人興奮的是，當你緩慢且穩定前進時，弧線的方向總是會開始改變。你家孩子保持冷靜、持續專注的時間會開始變長。別想著巨幅的改變，而要尋找軌跡正在改變中的微妙跡象。

在反覆摸索嘗試的背後，有件事很重要，不管你看到的改善有多小，試著從這些改善中找出是什麼發生作用，為什麼會發生作用，而同樣重要的是，也要找出哪些沒用，為何沒用。

當孩子開始採取主動，要很開心：一旦你看到孩子不只是回應你的提議，還會開始積極主動時，你便知道他的大腦正從仰賴原始機制來處理壓力（戰或逃反應、凍結反應），轉換到社會參與。你的孩子迫不及待想告訴你某些事情；你家的青少年癱倒在沙發上，不用你催促，便聊起她這一天的生活，這些都是孩子在日常生活裡有適當調整的徵兆，永遠不要以為這是理所當然的。

期待意想不到的事發生：跟孩子一起做自我調整，若能教你一件事，那便是謙虛。

你可以用世上最好的理由來提出自己的期待，結果孩子根本不想按你的期待來發展。如果我們回到最重要的主旨，把自我調整視為一個過程，那麼我們在自我調整中從孩子身上學到的，就會不亞於他們向我們學習到的。學習期待意外驚喜，有很多方式，但仍有些基本規則在運作著：

- 儘管兩個孩子的需求看似相近，對某個孩子很有效的方法，卻可能會對另一個產生反效果。
- 不變的是，曾經發揮效用的方法不再有效了。
- 有時候某種方法奏效了，其原因卻非你先前所想。
- 有時候某種方法一點幫助也沒有，而你始終不明就裡。
- 孩子往往痛恨你喜歡的事物，反之亦然。
- 有時候你認為有效的方法，反而讓事情更糟。
- 有時候你確定沒用的方法，卻產生驚人的效果，只是你需要稍加等候。

謹慎使用艱深的字：當我們過度仰賴語言時，很容易就不求甚解。你可能不認為「平靜」是艱深的字眼，但是它的「艱深」不在於只有兩個字，而是所包含的元素。從這一點來看，「平靜」是很艱深的詞，因為包含了三個不同部分：生理、認知及情感。生理元素，指的是緩慢的心跳率、放鬆的深呼吸、鬆弛或完全放鬆的肌肉。認知元素，則是覺察到這些生理感受及周遭的發生。情感元素，則是去享受這樣的狀態。對「平靜」的「具體了解」，不只是能正確定義或甚至使用這個字，還能把感受、情緒及覺察與這個字連結在一起。我不時就會感到驚訝，在我們看到的孩子中，很少孩子真正明白「平靜」的意思。大部分孩子似乎認為「平靜」只是代表「安靜」而已。

別要孩子想太多：當我們與孩子一起做自我調整，不管此時孩子年紀多大，我們必須盡全力找到把資訊呈現給孩子的方法，好讓孩子能夠完全理解。這意味著，我們必須根據孩子在五個領域的發展程度，來跟孩子溝通。這一點對青少年與幼小的孩子都同樣適用。

棘手的地方在於，孩子在不同領域的發展程度不一。譬如，孩子可能在認知領域的發展程度較好，在社交及情感領域的程度較差（人們對聰明孩子的刻板印象即是如此，社交能力不佳，一旦與人互動不良，就不知所措）。甚至在同一個領域中，我們也會看到顯著的不協調。舉例來說，有個孩子的抽象推理程度很高，自我覺察能力卻不強。這正是我們從第二章史蒂芬的例子中看到的，他能夠理解父母的說話內容，也可以正確使用「平靜」一詞，甚至說出定義。但是，他對這個詞卻沒有具體的了解，也就是他不明白平靜是什麼感覺。他對「平靜」的了解，有點像我們能說出外國語中某個字詞的意思，卻不是真的了解它的內涵。

這種情形對爸媽是種挑戰。我們很容易就認為自己有把話講清楚，即使我們必須用較簡白的話，或是大聲講話。但是對孩子及青少年來說，要讓他們做自我調整，他們必須知道像「低度喚起」、「高度喚起」及「平靜」這些艱深字眼是什麼樣的感覺。他們必須了解「困倦」及「低度喚起」，或是「激動」及「高度喚起」這些感覺之間的差別。當然，他們還必須知道平靜的感覺有多麼愉快。

自我調整永不嫌早，也永不嫌晚：我經常被問到的問題之一是，應該在何時開始做自我調整。答案當然是，從你放下這本書的那一刻開始，不管你是不是有小孩。至於何時開始跟孩子做自我調整，答案是從寶寶能透過肢體語言告訴我們，什麼讓他們感到舒緩、什麼讓他們焦慮時，幾乎可說是從誕生的那一刻就開始了。當你太用力撫摸或擠壓寶寶，他會肌肉緊繃，這便是在告訴你，請試著用不同的方式按摩；當你放慢動作或減輕力量，寶寶身體便會放鬆，甚至可能會發出「啊」的聲音。

最重要的是，不管從什麼年紀開始，永遠不會太晚。「大腦在六歲（有的說法更早）便已發育完成」、「幼兒期是黃金學習期」等訊息，不斷轟炸，無形間對某些爸媽造成了極大壓力。「喔，我的老天，」他們想著：「我錯過了奠定良好基礎的機會，現在為時已晚了。」我不只一次聽過爸媽這樣怨嘆。不過，真相是讓孩子（或你自己）做自我調整，永遠不嫌晚。人生隨時都可開始，年紀大一點的孩子跟青少年都來得及。

是誰需要改變：我看過太多孩子受到責罵及處罰，被說成是「那個不成材的」，這令我不禁納悶，當我們試圖改變孩子時，最終該為孩子的改變結果負責的人，難道不是我們嗎？這個想法令人打寒顫。人們自古崇尚自我控制，我們受到這個觀點影響，遂認為當我們處罰或獎賞孩子時，是克盡職責，一切都是為了孩子好。當孩子無法回應這套做法時，我們便認為問題出在孩子身上，是他不夠努力，他明知自己所選擇的路最終會給他帶來麻煩。

更令我困擾的是，在孩子生活中有影響力的成人，諸如老師、教練、鄰居等，會說服孩子的爸媽開始這樣想：「你的孩子要更努力點／要多用腦袋想／要說真話！」這些好心好意的訊息，根本與自我調整無關，只會讓爸媽更加焦慮。爸媽把這些有害訊息告訴孩子，某種程度上只是為了減輕焦慮，但或許他們也開始相信孩子就是這樣。

當然，自我調整的重點是要意識到以上課題，深入探索後，想出策略，幫助孩子發展出所需的情緒、認知、社交及利社會核心能力，以面對生命施加在他身上的壓力源。不過，改變孩子的起點，在於我們對孩子的看法，這絕對會影響到孩子如何看待自己，其影響之大遠超乎我們想像。

自我調整與你大有關係：自我調整就是跟你有關。跟孩子建立健康的關係（這是間腦的核心力量）是自我調整的起點，也讓自我調整成為可能，還要看到自己有做自我調整的需要。

就像第十一章的青少年約拿，他的壓力反映在身不由己般吃著垃圾食物，而你也需要辨識出自己能量低落、壓力過大時的徵兆為何；這正是你會反覆擔憂、出現侵入性想法或某種渴求的「意義」所在。你需要找出自己的壓力源，尤其是隱藏版的壓力，並想出降低壓力的方法。跟這本書裡提到的所有孩子及青少年一樣，你需要意識到自己何時變得低度或高度喚起，而且最重要的是，你要知道平靜的感覺是什麼，讓自己休息，從日常生活中數不清的壓力中恢復能量。

當爸媽發現對孩子有幫助的自我調整步驟，也能幫助到成人時，他們經常會分享自己的「頓悟」時刻。

一位母親的故事：從小就用食物安慰自己

有位母親跟我分享，她從青少年起，就一直跟自己的體重對抗，反覆減肥，體重忽上忽下，總是被自己缺乏意志力給打敗。當她跟小兒子一起做自我調整時，她突然明白自己的體重問題跟意志力無關；真正的問題在於，她從童年就開始用食物安慰自己，這成了她的自我調整方法。

吃東西的確會給人帶來平靜，原因很多。有些是心理因素（因先前經驗所形成的連結），有些則是生理因素（因吃某些食物而釋放出腦內啡）。

無論如何，吃東西是差勁的自我調整工具，這只能暫時減輕壓力，其次，這會有對你產生不好的生理副作用，譬如肥胖。

這位媽媽不再因自制力不佳而困擾，轉而運用自我調整的步驟，把焦點放在降低整體壓力水平。當她尋找吃太多「療癒食物」（comfort food）的衝動背後隱藏著什麼壓力源時，她很快就找到了模式。

在順利完成一天的工作之後、在感到放鬆的夜晚，或是與家人團聚的週末，她一點也不會被那些引發渴望、造成過度進食的食物吸引。但是，在一整天工作壓力過大之後，或是在家裡什麼也不想管時，她只想坐著大啖蛋糕、薯片甚至是剩菜，直到再也吞不下為止。大吃一頓之後，她從未感到好過一點，只感到內疚及慚愧。

有了這個嶄新的覺知之後，她終於明白，儘管她無法改變上司有時很專橫的管理風格，以及家人的某些人格特質，但當她在生活裡增加了散步或其他正向經驗之後，她可以更冷靜面對這些狀況。對食物的渴望就此消退，體重也跟著下降了。

她不是靠決心節食的毅力來減肥的，也不是突然湧生了意志力，而是因為有了更多的自我覺察，學會有效處理壓力源，對食物的渴望以及在壓力下大吃大喝的行為，自然而然減少了。

自我調整再加上散步、讓人平靜下來的呼吸，或甚至編織，當她選擇去做那些有助於她放鬆及恢復能量的事情，就會發現自己是在做事，而不是吃東西。當她把自己照顧得更好之後，她發現自己更有精力及耐心來面對兒子。

家長自我調整指南

發展身為家長的自我覺知：留心自己在一整天當中，根據日常生活需求及節奏往上及往下調整的方式。當你感到壓力，注意自己的身心變化，以及這些感受如何影響你面對孩子時的說話或回應方式。譬如，你是否會因過度疲累、焦慮或心有所繫，而過度敏感？或者，過去你曾遇過某人有跟孩子相似的行為，而讓你擔心孩子將何去何從？從五個領域中尋找壓力的源頭，並找出方法降低能量消耗。

創造適合你的最佳自我調整條件：建立健康的睡眠、飲食及運動養生習慣，不只是為了孩子，也是為了自己。這還包括創造平靜安詳的居家環境。如果這麼做只對你自己有益，讓你覺得做來困難，那麼請轉念想想，你其實是為孩子這麼做的。你不只是孩子的榜樣，你還是與孩子一起做自我調整的夥伴，你能教他如何自我調整。你家孩子需要你好好照顧自己。

原諒自己：不再自責內疚的做法中，有部分是要停止懲罰自己，改以仁慈寬厚的態度對待孩子，也善待自己。對自己慈悲。身為父母，我們全都會犯錯。當你犯錯後，或是沒有展現出較良善的一面，可向孩子致歉；孩子正從你身上學習如何處理日常生活中的各種壓力，以及把事情搞砸時該怎麼辦。

讓自己保持平靜：別執著在教養風格或標籤上，這些說法過度簡化教養實況中的挑戰，也低估你跟孩子相處時的應變能力，不如發展出一種平靜且具有一致性的回應風格。

找出時間跟孩子玩，互相欣賞：讓孩子幫助你扎根在真正重要的事物上。透過孩子的眼光看世界，可以重新喚醒你享受神奇與美好生命的能力，不然你可能會因生活匆忙而忽略了。光是這樣，便能讓你及孩子獲得平靜。

自我調整的需求，前所未有的迫切

好幾年前，我受邀到愛爾蘭參與一項大型的社區更新計畫。這個社區因為長年在政治及社會上未獲重視，處於極度貧困的狀態，暴力、毒品及人為破壞隨處可見。走得掉的人，早已離開；走不掉的人，被迫在兩個對立的幫派中選邊站，或只能盡量迴避。

第一天走在這個社區裡，我看著燒毀的房屋及垃圾滿地的公園，向東道主說，這兒在在讓我想起走在戰火肆虐的加薩市街道上的感覺。儘管面對眾多挑戰，他們深感樂觀，計畫主持人找來了愛爾蘭最優秀的專家，企圖復甦本地的社經環境。

我並未沾染到他們的樂觀。在我參訪一所小學時，坦白說，我看到的那群孩子顯然精神受創。至於我遇見的老師，可說是你能想像得到最棒、最有慈悲心的人，可是他們不曉得要怎麼辦，每一個人都顯露出身心耗竭的徵兆，或是心理學家說「同情心衰竭」（compassion fatigue）的情形。

那天下午稍晚，我跟當地一位教區神父一起喝茶，且讓我稱呼他派特神父。我想我的聲音裡一定充滿了絕望，因為派特神父溫柔看著我，用他濃厚的愛爾蘭口音說：「喔，史都華，但他們只是孩子。以你懂的科學知識，你能想出方法幫助他們嗎？」我當下便明白對於派特神父的問題，自己的答案是響亮肯定的。孩子、爸媽及老師們對自我調整的知識及練習，其需求從未如此迫切。就在那個時候，加拿大在學校大規模採用自我調整的方案誕生了，並首先在英屬哥倫比亞及安大略的學校系統開始進行。

擔心孩子的現象舉世皆然，並非專屬於某個階級或文化。在爸媽的擔憂（或愛）的市場中，沒有人口結構的細分，也沒有哪個地方的孩子，可以免於今時今日孩子們必須面對的大量壓力。

當然，這些壓力源會偽裝成不同樣貌，從幫派暴力到獲得大學入學許可的壓力，處處皆是。但是，在人性層面上，這都跟孩子做對的事有關，我們要協助孩子發展自我管理、以面對所有挑戰的能力，使他們能充分發揮全部潛能。

謝辭

一本書的謝辭，可以感謝那些對作家思想有強烈影響的人；也可以從謝辭中辨識出一本書的知識譜系。我自己的研究方法，屬於邏輯實證論的傳統，正如衛思曼（Friedrich Waismann）所說，此傳統由彌爾（John Stuart Mill）以降，在維根斯坦（Ludwig Wittgenstein）集大成。兩位影響自我調整最多的當代經驗主義者，是葛林斯潘及波吉思。他們兩位在學術生涯初期就密切合作，這並非巧合，因為葛林斯潘的發展觀與波吉思的生理觀，兩者之間有很深的綜效（synergy）。

在此，還要讚揚五位人士的貢獻，他們分別是佛捷（Alan Fogel）、泰雅（Robert Thayer）、修爾（Allan Schore）、葛陵（Ross Greene），以及我在牛津求學時的教授布魯納（Jerome Bruner），這五個人都是重要的哲學家及卓越的科學家。在注解（編注：本書注解，請上天下文化官網下載：http://bookzone.cwgv.com.tw/event/bep036/BEP036remark.pdf）中提到的每一位作者，也都扮演了關鍵的角色，但尤其重要的是：麥克林（Paul Mac-Lean）、坎農（Walter Cannon）、賽爾伊（Hans Selye）及遍布世界各地採用「發展性、個別差異、關係本位模式」（DIR）的諸多治療師與理論家。

沒有以下幾位的支持，自我調整不可能發展起來：米爾特・哈利斯及伊瑟・哈利斯夫婦（Milt and Ethel Harris），以及在米爾特英年早逝之後，他的孩子大衛（David）、茱蒂絲（Judith,）、娜歐米（Naomi）及侄子約翰（John）。我不知該如何向美利德中心的全體員工表達我的謝意：最重要的人如研究總監卡森海瑟（Devin Casenhiser），與他一起工作十分愉快；神經科學部門總監史帝本；治療師賓恩（Amanda Binns）、李（Eunice Lee）、麥克吉爾（Fay McGill）、達揚南當（Narmilee Dhayanandhan）及諾博（Nadia Noble）；研究經理莫爾德（Olga Morderer）、社區主任阿里森（Alicia Allison）；資深科學家墨斯莊潔羅（Sonia Mostrangelo）、貝拉米（Lisa Bayrami）、芮德諾維克（Ljiljana Radenovic）及海桑南（Shereen Hassanein），以及執行助理特黛思科（Giselle Tedesco）與玻根（Ana Bojcun），還有所有的研究生及大學生，不辭辛勞進行研究工作。

我還要特別提到美利德中心的職能治療師克里斯・羅賓森（Chris Robinson），他即將擔任美利德中心的臨床總監。自我調整有數不清的構想，都是來自於我們倆一起進行的工作。

當我歸功於美利德中心時，一定也要提到我在約克大學健康與哲學這兩組教職員工作的同事，尤其是兩位院長藍登（Rhonda Lenton）及史基納（Harvey Skinner），他們一次又一次在我們有急迫需求之時，給予我們支持與指導。

有好幾個機構，多年來一直慷慨支持我的研究，除了哈利斯鋼鐵基金會（Harris Steel Foundation）之外，還有加拿大協會（Canada Council）及加拿大人文及社會科學研究委員會（SSHRC）；育利康基金會（Unicorn Foundation）；立即治癒自閉症基金會（Cure Autism Now）；加拿大公共衛生局（Public Health Agency of Canada）；鄧普雷頓基金會（Templeton Foundation）；星辰基金會（Stars Foundation）；國際發展研究中心（IDRC）；FIRA；安大略省健康促進部（Ministry of Health Promotion in Ontario）；加拿大衛生研究院（CIHR）及同理心根源計畫（Roots of Empathy）。

這些年來，我跟許多人一起工作，他們的友誼、幫助及建議對我非常重要：尤其是艾倫（Rod Allen）、布爾曼（Jeremy Burman）、道納（Roger Downer）、符萊爾（Norah Fryer）、霍夫曼（John Hoffman）、金恩（Barbara King）、麥凱（Mike McKay）、摩斯（Mary Helen Moes），特別是我孩子的教父、也是我個人的試金石麥拉（Michel Maila）。

美利德中心的團隊給我帶來永不枯竭的靈感：華倫（Linda Warren）、史密斯・湘特

（Brenda Smith-Chant）、費格斯（Jill Fergus）、達維森（Sophie Davidson）、睿達力克（Stephen Retallick）及崔溫（Meaghan Trewin），同樣的，我必須再度特別提一個人，那就是我們的執行總監霍普金絲（Susan Hopkins），她對自我調整的貢獻，遠遠超過任何人力可及的程度。

有三個人對這本書能成冊特別有貢獻：我的經紀人倪潤（Jill Kneerim）；編輯高朵芙（Ann Godoff）；還有最重要的，我的合著者巴克（Teresa Barker）。這本書裡沒有一個字未經過她的苦思，也沒有一個觀念，未經過她面面俱到的審視。與巴克一起撰寫這本書，是我人生中最有意思的知性經驗。

最後，我必須感謝我的執行助理卡爾薇（Jade Calver），她不只處理超乎尋常的工作份量，還能始終保持高昂的興致。

啟發自我調整的人非常非常多，不只是心理學家、精神科醫生、治療師以及哲學家，還有至今我有幸一同合作過的每一個孩子、青少年、家長、老師、管理者、公務員及政府首長。我們盡了最大的努力，隱藏書中提到的孩子及家長的身分，許多例子是合併了不同案例，以呈現出相同的議題。我深深感謝這些家庭，允許我們在變名易姓之後說出他們的故事。

我的爸媽及妹妹總是在我心中，我也受到岳父岳母肯尼斯・羅登堡及朵莉絲・羅登堡的祝福，他們對我的支持非比尋常。不過給我最大恩惠的人，一如往常，是我的太太及小孩。我寫這本書是因為他們，也是為了他們，事實上也可說是與他們一起合寫。

以下是我的合著者巴克的謝辭：

感恩史都華邀請我與他合寫這本書，還有他的願景，推動此書得以完成。能與他合作，是無上的榮耀與喜悅。感謝我們的編輯高朵芙，她敏銳的直覺與熱誠，為這本書帶來無微不至的關懷。感謝企鵝出版社的編輯與設計團隊。感謝經紀人倪潤及墨睿兒（Madeleine Morel）。我也想感謝雷登（Sherry Laten）、湯姆森（Michael Thompson）及施泰納—阿黛爾（Catherine Steiner-Adair），他們的觀點充滿了洞見。一如以往，我受惠於親愛的家人及朋友甚多，他們的慷慨、智慧及靈感，都支持著我寫作這本書。

譯後記

不只改變孩子，也改變你的人生

郭貞伶

翻譯這本書，正好觸動了我內心深處很想分享、也是這些年來一直在學習的一件事，那就是如作者沈克爾博士在前言所說，在他見過的這麼多孩子中，從沒見過一個壞孩子。

當我看到他這麼說時，深感佩服！這些年來，我看過孩子被討厭、被排擠、被貼標籤，甚至我自己，也因孩子有些狀況被認為應該要改善，所以就被認為是我的錯，是我造成孩子如此。我不喜歡辯解，我只希望知道如何能幫助孩子更好。因此，我便開始了一段不算短的摸索與了解過程，也因此，當我看到這本書的前言，會這麼佩服，不禁感動落淚。

在這些年來的摸索中，很多時候，我看見孩子是怎麼被誤解、被人們不假思索、卻又如蓋棺論定般對待。孩子活活潑潑的生命力，就逐漸被定型、僵化，發展與改變的可能性愈來愈小。也是在這樣的過程中，我愈來愈清楚，要改變、要幫助孩子的第一步，一定是我們自己要先放下既有成見，學習去看到孩子本身、現象本身、甚至是去看到我們自己，除此之外，沒有別的起點。

沈克爾博士在前言中提到，他到博物館欣賞林布蘭特的畫，儘管他早已知道這幅畫的價值與藝術成就，但是，一直要到他站對欣賞位置，那幅畫中所富含的天分及力量，才真的能躍然紙上，令他感動。

要看懂一幅靜態的世界名畫，都已如此，更何況，要看懂每天都在變化的無價之寶：我們的孩子。我們就算讀過再多教養理論、學過再多種教育方法，甚至單單覺得自己吃過的鹽比孩子吃過的飯多，也不見得能全盤知道孩子的狀況，很可能只是一再把自以為是的想法跟看法，加諸在孩子身上而不自知。每個生命都是獨一無二的，每當我不自覺想去論斷些什麼時，我就學著去提醒自己：這是我的想法，還是我真的看見那個生命是這樣？

而這也正是自我調整的第一步：重塑觀點。我們不再用既有觀點去看孩子，覺得孩子鬧情緒、叫不動、坐不住、講不聽，都是孩子自己的問題，是孩子自我控制不佳、品性不好，或是很懶、很皮、很跩、很壞、固執、不講理。當我們不急著去跟孩子對峙、規勸、說服、責備，不急著在當下用我們的想法，去決定孩子是什麼樣子，而是回到自己身上，覺察當下狀況，甚至自己先放鬆下來時，我們跟孩子的關係就開始改變了。

我很喜歡這本書的原因之一，便在於我一再看到沈克爾博士如何透過重塑觀點，貼近孩子的真實狀況，讓孩子與父母都能放鬆下來，如他所說的，由「生存腦」轉變為「學習腦」，一起做自我調整，然後彼此都能從對方的改變中得到喜悅與滿足。

沈克爾博士是從壓力對生理的影響談起，其細膩的觀察，配合現今先進科學對神經生理學、大腦科學、內分泌等的理解，能深入了解我們平日習而不察的部分，補足我們在理解孩子、理解他人時所缺少的那一塊拼圖。反省如今我們絕大多數人所知的教養概念，罕有書籍能幫助我們從這麼根本的角度，去體貼彼此在當下的處境。當我們彼此關係緊張、互相責怪時，各自在生理上承受到了什麼樣的壓力，我們根本不知道，或許也沒想過要去知道。但是，生理上的壓力，卻極可能促使我們做出一時衝動的行為，陷入劍拔弩張的狀態。

而且，這本書裡所描述的壓力環境，我們每一個人都在承受著。想想看我們跟上一代生活環境的差異，居住環境更擁擠、噪音更多、如鋪天蓋地的各種影音媒體、幾乎不斷線的網路世界，連我們活在這世上所必需的空氣、食物與水，也在增加我們的壓力。空氣汙染、人工添加劑、含糖飲料等等，在在都逃過了我們的意識監督，而直接觸及我們的生理，影響生活品質，而這其中當然包括了親子關係。

由於我們很少由生理層次看到種種因素給我們造成的壓力，以及這些壓力又如何影響到親子、師生之間彼此的互動，所以，種種「誤解」就這樣產生了。然後，我們就在造成「誤解」的層次尋找「問題」的解答，這等於是緣木求魚。

然而，透過自我調整的觀點重塑，這些問題行為則被視為「徵兆」，得以細膩觀察這些孩子是如何被各種壓力源所影響，給予他們安全感，培養他們對於壓力及生理狀態的自我覺察後，這些孩子都有了前途無量的未來。

這本書裡還有一個我很喜歡的部分，那即是沈克爾博士提到了父母（照顧者）與孩子之間的間腦、以及爸媽是孩子的「高階大腦」的概念（請見第三章）。間腦是存在於爸媽與孩子之間的直覺溝通管道，是雙向運作的，也會隨孩子的成長而進化。沈克爾博士說我們可以把它想像成像是「某種藍芽或無線連結，將照顧者與嬰兒的大腦連結起來」，以中文來說，或許就是所謂的「心心相印」，這心心相印的間腦，會讓我們與孩子彼此名符其實地「感同身受」。

陪伴孩子成長，一定有很多甘苦談。當我在摸索如何能更好的幫助孩子時，有許多時候，我真的會感到不確定及軟弱。在這些時候支撐著我的，就是孩子對於大人的無條件的愛與接納。我們常以為是自己在愛孩子，但事實上，孩子對我們更是無條件的全然敞開。我們高興時，他們就高興，我們難過時，他們也絕不好受。在這世上，有幾人能跟我們心心相印到如此程度？

當我們更深刻體認到這一點，就會明白，當孩子好，就是我們好，當孩子快樂，就是我們快樂。於是，當我們在「幫助」孩子、「服務」孩子時，其實我們正是在幫助自己、服務自己。孩子，會讓我們成為更完整、更成熟的人。

不只是當爸媽的人，才能從孩子身上得到這樣的幫助與成長，任何會接觸到孩子的人，都能由此受益。沈克爾博士在這本書裡就提到了好幾個例子，在前言中，就看到一位老師因為重塑觀點，從不同角度重新認識一個她以為是壞到骨子裡的孩子，自此之後，她自己的人生也徹底轉變。

翻譯的過程中，我時常覺得很感動。這本書不是一般的教養經驗談，讀起來也並非毫不費力，甚至不是用感性的語言與讀者談心。但是正如梭羅曾說：「世間最大的奇蹟，莫過於我們能夠透過彼此的眼睛看世界，哪怕只有一瞬間。」自我調整就是這樣一個奇蹟的展開。當你能重塑觀點，真正看見孩子狀況那一剎那，那種頓悟，不只是幫助孩子的起點，也會改變你的人生。

教育教養　BEP036A

孩子不是壞，只是壓力大

5 個步驟，教出孩子迎戰未來的調整力

Self-Reg: How to Help Your Child (and You) Break the Stress Cycle and Successfully Engage with Life

作　者 — 沈克爾博士（Dr. Stuart Shanker）、巴克（Teresa Barker）
譯　者 — 郭貞伶

事業群發行人／ CEO ／總編輯 — 王力行
副總編輯 — 周思芸
責任編輯 — 陳孟君
封面暨內頁設計 — 張議文

出版者 — 遠見天下文化出版股份有限公司
創辦人 — 高希均、王力行
遠見・天下文化・事業群　董事長 — 高希均
事業群發行人／ CEO — 王力行
天下文化社長／總經理 — 林天來
國際事務開發部兼版權中心總監 — 潘欣
法律顧問 — 理律法律事務所陳長文律師
著作權顧問 — 魏啟翔律師
社址 — 台北市 104 松江路 93 巷 1 號 2 樓
讀者服務專線 —（02）2662-0012
傳　真 —（02）2662-0007；2662-0009
電子信箱 — cwpc@cwgv.com.tw
直接郵撥帳號 — 1326703-6 號　遠見天下文化出版股份有限公司

國家圖書館出版品預行編目(CIP)資料

孩子不是壞,只是壓力大：5個步驟,教出孩子迎戰未來的調整力 / 沈克爾(Stuart Shanker), 巴克(Teresa Barker)著；郭貞伶譯. -- 第一版. -- 臺北市：遠見天下文化, 2017.04
面；　公分. -- (教育教養；BEP036)
譯自：Self-reg : how to help your child (and you) break the stress cycle and successfully engage with life
ISBN 978-986-479-192-7(平裝)

1.親職教育 2.兒童心理學 3.抗壓

528.2　　106004736

電腦排版 — 立全電腦印前排版有限公司
製版廠 — 東豪印刷事業有限公司
印刷廠 — 柏皓彩色印刷有限公司
裝訂廠 — 中原造像股份有限公司
登記證 — 局版台業字第 2517 號
總經銷 — 大和書報圖書股份有限公司　電話／ (02)8990-2588
出版日期 — 2017 年 4 月 27 日第一版
2019 年 3 月 25 日第二版
2019 年 5 月 30 日第二版第 2 次印行

定價 — NT450 元

4713510946138　英文版 ISBN — 978-1594206092
書號 — BEP036A
天下文化官網 — bookzone.cwgv.com.tw

天下文化

BELIEVE IN READING